Eucaristía
Damos gracias y alabanza

Eucharist
We Give Thanks and Praise

"Hagan esto en memoria mía."
1ª. Corintios 11:24b

"Do this in remembrance of me."
1 Corinthians 11:24b

Editores • Editors

Hermana Catherine Dooley, O.P.

Monseñor Thomas McDade, Ed.D.

RCL
Benziger®

Nihil Obstat: Hermana Karen Wilhelmy, CSJ, Censor Deputatus

Imprímatur: † Roger Cardenal Mahony, arzobispo de Los Ángeles, septiembre de 2005

El nihil obstat y el imprímatur son declaraciones oficiales de que la obra no contiene nada contrario a la fe y a la moral. No se implica, por tanto, que quienes han otorgado el nihil obstat e imprímatur están de acuerdo con el contenido, las declaraciones, ni las opiniones expresadas.

Nihil Obstat: Sister Karen Wilhelmy, CSJ, Censor Deputatus

Imprimatur: † Roger Cardinal Mahony, Archbishop of Los Angeles, September 2005

The nihil obstat and imprimatur are official declarations that the work contains nothing contrary to Faith and Morals. It is not implied, thereby, that those who have granted the nihil obstat and imprimatur agree with the contents, statements, or opinions expressed.

Agradecimientos/Acknowledgments

Consultores/Consultants: James Gaffney, Enrico Hernández, Monica Hughes, David Michael Thomas
Contribuyentes/Contributors: Jane Ayer, Sylvia DeVillers, Janie Gustafson, Marianne Lenihan, Joanne McPortland, Margaret Savitskas, Rita Burns Senseman
Música/Music: Gary Daigle
Spanish: José Segovia, María Elena Carrión

Los fragmentos de la Escritura son tomados o adaptados de La Biblia Latinoamérica (C) 1972, Sociedad Bíblica Católica Internacional (SOBICAIN), Madrid, España, y son usados con permiso del propietario del copyright. Todos los derechos reservados. No se permite la reproducción de ninguna parte de La Biblia Latinoamérica sin el permiso por escrito del propietario de los derechos.

Lectionario para misa con niños, Cíclos A, B, C y días de semana copyright © 1994 Arquidiócesis de Chicago, Liturgy Training Publications. Todos los derechos reservados.

Fragmentos tomados de la traducción al español del *Misal Romano* (14.a Edición), 2005, Obra Nacional de la Buena Prensa (ONBP), A.C. México, D.F. Fragmentos traducidos del libro *Catholic Household Blessings and Prayers,* © 2007, Conferencia de Obispos Católicos de los Estados Unidos, Washington, D.C.

Scripture passages are taken from the *New American Bible with Revised New Testament. Revised New Testament of the New American Bible,* copyright © 1986 by the Confraternity of Christian Doctrine, Washington, D.C. All rights reserved. *Old Testament of the New American Bible,* copyright © 1970 by the Confraternity of Christian Doctrine, Washington, D.C. No part of the *Revised New Testament of the New American Bible* can be reproduced in any form without permission in writing from the copyright owner.

Lectionary for Masses with Children, Cycles A, B, C, and Weekdays, copyright © 1994, Archdiocese of Chicago, Liturgy Training Publications. All rights reserved.

Excerpts from the English translation of the *Roman Missal* © 2010, International Commission on English in the Liturgy (ICEL). Excerpts from *Catholic Household Blessings and Prayers* (revised edition), © 2007, United States Conference of Catholic Bishops.

Envíe todas sus preguntas a:
RCL Benziger
8805 Governor's Hill Drive • Suite 400
Cincinnati, OH 45249

Llame gratis   877-275-4725
Fax   800-688-8356
Visítenos en www.RCLBenziger.com
y RCLBsacraments.com

30852   ISBN 978-0-7829-1697-3

1.ª edición
Noviembre 2014.

Send all inquiries to:
RCL Benziger
8805 Governor's Hill Drive • Suite 400
Cincinnati, OH 45249

Toll Free   877-275-4725
Fax   800-688-8356
Visit us at www.RCLBenziger.com
and RCLBsacraments.com

30852   ISBN 978-0-7829-1697-3

1st Printing.
November 2014.

¡Bienvenido!

Ésta es una época especial para ti y tu familia. Estás dando un paso más en tu peregrinación.

Este libro te ayudará a prepararte para recibir la Sagrada Comunión por primera vez. Aprenderás que la participación en la Eucaristía significa mucho más que tan sólo saber las palabras y acciones correctas. La Eucaristía significa tener un corazón agradecido y lleno de alabanza a Dios. La Eucaristía significa caminar al lado de Jesús cada día. Esto quiere decir que hay que vivir en el Espíritu Santo mientras se intenta amar y servir a otros.

Muchas personas en tu parroquia estarán rezando por ti mientras te preparas para recibir la Sagrada Comunión. Esto es una gran celebracion para la parroquia entera.

Que Dios te bendiga y te proteja.

Welcome!

This is a special time for you and your family. You are taking one more step on your journey with Jesus.

This book will help you as you prepare to receive Holy Communion for the first time. You will learn that taking part in the Eucharist means much more than knowing correct words and actions. Eucharist means having a heart full of praise and thanks to God. Eucharist means walking with Jesus every day, and it means living in the Holy Spirit as you try to love and serve others.

Many people in your parish will be praying for you as you prepare for First Holy Communion. This is a great celebration for the whole parish.

May God bless you and keep you close.

Contenido

Table of Contents

Ustedes están en Cristo Jesús, y todos son hijos de Dios gracias a la fe. GÁLATAS 3:26

Un nuevo miembro de la familia

María ya estaba ansiosa. Los miembros de su familia estaban parados juntos en la Iglesia.

—¿Qué nombre han elegido para esta niña? —preguntó el padre Brian.

—Ana —respondió mamá.

—¿Qué piden a la Iglesia para su niña? —preguntó el padre Brian.

—El Bautismo —respondieron justos papá y mamá.

—Yo, en su nombre, le signo con la señal de Cristo Salvador —dijo el padre Brian haciendo la señal de la cruz.

María sonrió alegremente. Hoy estaban bautizando a la bebé Ana. Ahora Ana sería un nuevo miembro de la Iglesia, el Cuerpo de Cristo.

- ¿Has estado alguna vez en un Bautismo? Cuenta lo que pasó.
- Dibuja a tu familia. En el dibujo, escribe las palabras "Somos hijos de Dios".

> For through faith you are all children of God in Christ Jesus.
>
> GALATIANS 3:26

A New Family Member

Maria could hardly wait. Her family stood together in the church.

Father Brian asked, "What name do you give your child?"

"Anna," Mom responded.

Father Brian continued, "What do you ask of God's Church for Anna?"

"Baptism," Mom and Dad said together.

Father Brian made the sign of the cross and said, "I claim you for Christ our Savior by the sign of his cross."

Maria smiled happily. Today baby Anna was being baptized. Now Anna would be a new member of the Church, the Body of Christ.

- Have you ever been to a Baptism? Tell what happened.
- Draw a picture of your family. On the picture write the words "We are God's children."

Jesús da la bienvenida a los niños y niñas

María estaba parada en el reclinatorio. Se esforzaba para escuchar todo mientras el padre Brian se preparaba a leer el Evangelio. Él iba a leer una historia sobre Jesús, antes de bautizar a la pequeña Ana.

El padre Brian empezó a leer:

"Algunas personas le presentaban los niños a Jesús para que los tocara, pero los discípulos les reprendían."Jesús, al ver esto, se indignó y les dijo:

'Dejen que los niños vengan a mí y no se lo impidan, porque el Reino de Dios pertenece a los que son como ellos. En verdad les digo: quien no reciba el Reino de Dios como un niño, no entrará en él'.

Jesus Welcomes Children

Word of God

. . . I have called you by name; you are mine.

ISAIAH 43:1

Maria stood up straight in the pew. She tried her best to listen as Father Brian prepared to read the Gospel. He was going to read a story about Jesus before baptizing little Anna.

Father Brian began:

"Some people brought their children to Jesus so that he could bless them by placing his hands on them. But his disciples told the people to stop bothering him. When Jesus saw this, he became angry and said,

'Let the little children come to me! Don't try to stop them. People who are like these little children belong to the kingdom of God. I promise you that you cannot get into God's kingdom unless you accept it the way a child does.'

- ¿Por qué crees que las mamás y los papás llevaron a sus hijos a Jesús?

- ¿Cómo crees que se sintieron los niños y las niñas cuando Jesús les dio la bienvenida y los bendijo?

- ¿Por qué crees que el padre Brian leyó este relato sobre Jesús en el Bautismo de Ana?

"Jesús tomaba a los niños en brazos e, imponiéndoles las manos, los bendecía".

BASADO EN MARCOS 10:13-16

Cuando terminó el Evangelio, el padre Brian explicó que Jesús daba la bienvenida a todos. Jesús quería que la gente sea tan abierta y amorosa como son los niños. El padre Brian dijo que cuando los padres traen a sus hijos a ser bautizados, se los traen a Jesús, como lo hizo la gente del Evangelio.

Después de hablar sobre el relato del Evangelio, el padre Brian pidió a todos que se pararan alrededor de la fuente bautismal. Mientras derramaba agua sobre la cabeza de Ana dijo: "Ana, yo te bautizo en nombre del Padre y del Hijo y del Espíritu Santo". Ana ni siquiera lloró. Ella estaba feliz de ser un miembro de la Iglesia.

Then Jesus took the children in his arms and blessed them by placing his hands on them."

BASED ON MARK 10:14–16

After the Gospel, Father Brian explained that Jesus welcomed everyone. Jesus wanted people to be as open and loving as children are. Father Brian said that when parents bring their children to be baptized, they are bringing them to Jesus like the people in the Gospel.

After talking about the Gospel story, Father Brian had everyone stand around the baptismal font. As he poured water on Anna's head, he said, "Anna, I baptize you in the name of the Father, and of the Son, and of the Holy Spirit." Anna didn't even cry. She was happy to be a member of the Church.

Let's Talk

■ Why do you think the mothers and fathers brought their children to Jesus?

■ How do you think the children felt when Jesus welcomed them and blessed them?

■ Why do you think Father Brian read this story about Jesus at Maria's Baptism?

Signos de pertenecer

Los católicos tienen tres signos especiales de pertenecer a la familia de Dios. Estos signos se llaman Sacramentos de la Iniciación Cristiana. Un Sacramento es un signo especial del amor de Dios que Jesús dio a sus seguidores.

La iniciación es el nombre que se da a los pasos que tomas para unirte a un grupo. En la iniciación cristiana, te conviertes en un miembro de la Iglesia, el Cuerpo de Cristo. Los **Sacramentos de la Iniciación Cristiana** son el **Bautismo**, la **Confirmación** y la **Eucaristía**.

En el Bautismo, el sacerdote o diácono derrama agua bendita sobre ti mientras dice: "Yo te bautizo en el nombre del Padre y del Hijo y del Espíritu Santo". Por medio del Bautismo Dios perdona el **Pecado Original** y todos los pecados, y te conviertes miembro dela Iglesia.

1

Signs of Belonging

Catholics have three special signs of belonging to God's family. These signs are called the Sacraments of Christian Initiation. A Sacrament is a special sign of God's love that Jesus gave to his followers.

Initiation is a name for the steps you take to join a group. In Christian initiation, you become a member of the Church, the Body of Christ. The **Sacraments of Christian Initiation** are **Baptism, Confirmation,** and **Eucharist.**

At Baptism the priest or deacon pours blessed water over you as he says, "I baptize you in the name of the Father, and of the Son, and of the Holy Spirit." Through Baptism God forgives **Original Sin** and all sins, and you become a member of the Church.

1 **eucharist**

Los Sacramentos de la Iniciación Cristiana nos dan la bienvenida como miembro de la Iglesia. Nos hacen participes de la vida misma de Dios.

En la Confirmación, el obispo hace la señal de la cruz en tu frente con el óleo sagrado, llamado santo crisma. Él dice: "Recibe por esta señal el don del Espíritu Santo". Los dones del Espíritu Santo te ayudan a seguir a Jesús.

En la Eucaristía, el sacerdote, el diácono o el ministro de la Eucaristía te da el Cuerpo y la Sangre de Cristo en la forma del pan y el vino. Con estos tres Sacramentos, tu iniciación cristiana se completa. Entonces eres un miembro total de la Iglesia Católica.

Actividad

Mira las fotos en las páginas 12 y 14. Escribe el nombre del Sacramento que muestra la foto.

2 _____

3 _____

At Confirmation the bishop makes the sign of the cross on your forehead with blessed oil called Sacred Chrism. He says, "Be sealed with the Gift of the Holy Spirit." The Gifts of the Holy Spirit help you follow Jesus.

At Eucharist the priest, deacon, or Eucharistic minister gives you the Body and Blood of Jesus in the form of bread and wine. With these three Sacraments, your Christian initiation is complete. You are a full member of the Catholic Church.

This We Believe

The Sacraments of Christian Initiation welcome us as members of the Church. They give us a share in God's own life.

Activity

Look at the pictures on pages 13 and 15. Write the name of the Sacrament that each picture shows.

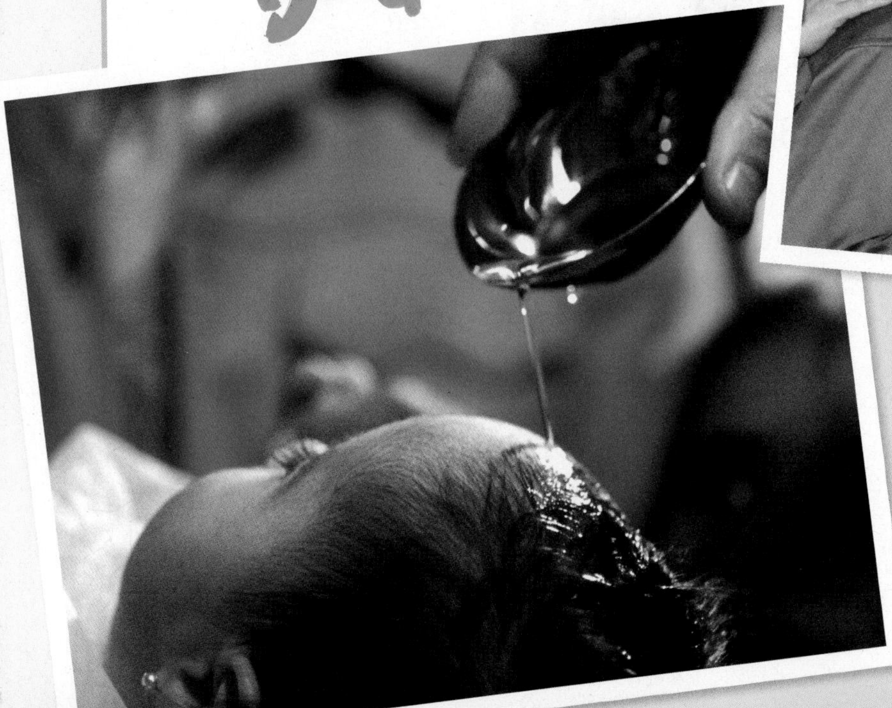

2 _BaP_____

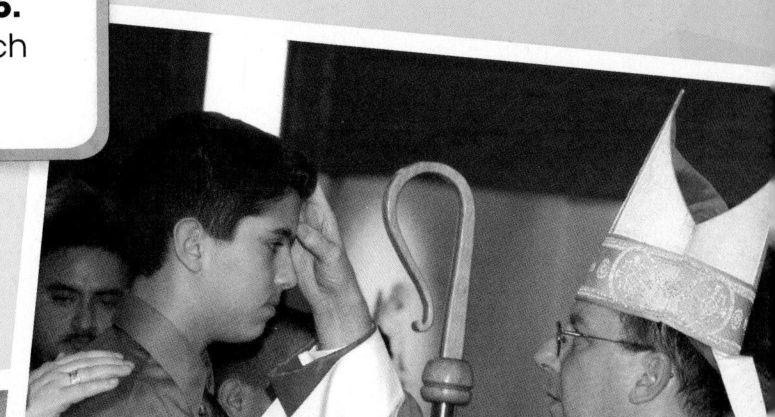

3 _Canfir_____

Somos discípulos

Decora el recuadro de abajo con palabras e ilustraciones que te hagan recordar de tu Bautismo. Escribe tu nombre y el nombre de tu parroquia.

- -

**mientras continúas
en tu jornada de
Iniciación Cristiana,
los miembros de la Parroquia**

- -

¡te dan la bienvenida!

En la parroquia

Cuando vayas a la Iglesia, bendícete con el agua bendita como recordatorio de tu Bautismo.

16

We Are Disciples

Decorate this page with words and pictures that remind you of your Baptism. Write your name and the name of your parish.

peteR

as you continue on your journey of Christian Initiation, the members of

St. Juan Diego

~~peteR~~

Parish welcome you!

Pedro

Parish Connection

When you go to church, bless yourself with holy water as a reminder of your Baptism.

Somos el pueblo de Dios

Líder La Iglesia nos da la bienvenida así como Jesús dio la bienvenida a los niños. Ahora recemos como pueblo de Dios.

Lector 1 ¡Aclamen al Señor la tierra entera, sirvan al Señor con alegría, ¡lleguen a él, con cánticos de gozo!

Todos Somos el pueblo de Dios.

Lector 2 Sepan que el Señor es Dios, él nos hizo y nosotros somos suyos, su pueblo y el rebaño de su pradera.

Todos Somos el pueblo de Dios.

Lector 3 Sí, el Señor es bueno, su amor dura por siempre, y su fidelidad por todas las edades.

Todos Somos el pueblo de Dios.

BASADO EN SALMO 100:1–2, 3, 5

El hogar y la familia

Nota para la familia

Querida familia:

He aprendido que Jesús dio la bienvenida a los niños y que los bendijo. Él también me bendice y quiere que me acerque más a él. Ustedes me pueden ayudar a prepararme para la Primera Comunión contándome por qué eligieron bautizarme y por qué quisieron que fuera católico.

En familia

Compartan con su niño o niña recuerdos de su Bautismo.

Hazlo tú mismo

Haz una lista de razones por las que estás contento de ser miembro de la Iglesia Católica. Coloca esta lista en tu casa donde la puedas ver durante tu preparación para la Santa Comunión.

RCLBsacraments.com

Con tu familia

Conversen en familia acerca del significado de pertenecer a la Iglesia Católica.

Repasa el Credo que recitas en la Misa del domingo. Esto resume lo que crees como la Católico.

Home and Family

Family Note

Dear Family,

I have learned that Jesus welcomed little children and blessed them. He blesses me, too, and wants me to be closer to him. You can help me prepare for First Holy Communion by telling me why you chose to have me baptized and why you wanted me to be a Catholic.

Family Chat

Share memories with your child of his or her Baptism.

On Your Own

Make a list of reasons you are glad to be a member of the Catholic Church. Post this list in your home where you will see it during your time of preparation for First Holy Communion.

With Your Family

Talk with your family about what it means to belong to the Catholic Church.

Review the Creed you say at Mass on Sunday. This sums up what you believe as a Catholic.

RCLBsacraments.com

We Are God's People

Leader   The Church welcomes us just as Jesus welcomed the little children. And so we pray as God's people.

Reader 1   Shout praises to the Lord everyone on this earth.
Be joyful and sing
as you come in
to worship the Lord!

All   We are God's people.

Reader 2   You know the Lord is God!
He created us,
and we belong to him;
we are his people,
the sheep in his pasture.

All   We are God's people.

Reader 3   The Lord is good!
His love and faithfulness
will last forever.

All   We are God's people.

BASED ON PSALM 100:1–2, 3, 5

Así, siendo muchos formamos un solo cuerpo, porque el pan es uno y todos participamos del mismo pan.

1ª. Corintios 10:17

■ Habla acerca de cuando toda tu familia se reunió para una comida. ¿Dónde comieron? ¿Qué comieron? ¿De qué conversaron?

■ Dibuja a tu familia comiendo juntos. Inclúyete a ti en el dibujo.

Tomás estaba en la casa de un vecino, jugando videojuegos. Ya era hora de regresar a casa. Tomás llamó por teléfono a su mamá.

—¿Puedo quedarme un poco más y seguir jugando? —preguntó Tomás a su mamá.

—Ya casi es hora de cenar —dijo la mamá.

—¡Sólo por esta vez! —rogó Tomás.

—No —respondió ella—. En verdad quiero que estés con nosotros para la cena. La familia no estaría completa si faltaras tú.

Tomás se sintió triste porque no podría jugar más tiempo, pero su mamá tenía razón. Regresar a casa para comer juntos era importante. Demostraba que eran una familia.

Gathering

> Because the loaf of bread is one, we, though many, are one body, for we all partake of the one loaf.
>
> 1 Corinthians 10:17

Tommy was at a neighbor's house playing video games, but now it was time for him to go home.

He phoned his mom. "Can I stay here longer and keep playing?"

"It's about time for dinner," she said.

"Just this once?" Tommy pleaded.

"No," she answered. "I really want you to be with us for dinner. Our family wouldn't be complete if you were missing."

Tommy was sad he could not play longer, but his mom was right. Coming home to eat together was important. It showed they were a family.

- Talk about a time your whole family got together for a meal. Where did you eat? What food was there? What did you talk about?

- Draw a picture of your family eating together. Include yourself in the picture.

Reunirse como cristianos

A Jesús le gustaba reunirse con su familia y amigos para comer. Después de la muerte de Jesús, sus amigos se seguían reuniendo para rezar y comer en sus casas. Durante la comida hablaban de Jesús y de lo que él había dicho o hecho. Hablaban de cómo se podían ayudar unos a otros. Empezaron a llamarse entre sí cristianos, nombre que significa "seguidores de Cristo". Se sentían como miembros de una familia.

Christians Gather

Jesus liked to get together with his family and friends for a meal. After Jesus died, his friends still came together to pray and eat in their homes. During the meal they talked about Jesus and what he had said and done. They talked about ways they could help others. They began to call themselves Christians, a name that means "followers of Christ." They felt like members of one family.

Hablemos

- Después de la muerte de Jesús, ¿qué hacían sus amigos y seguidores cuando se reunían?

- ¿Cómo se llamaban entre sí los seguidores de Jesús?

- ¿Cómo se hacían sentir en familia?

- ¿Cuándo te reúnes con tu familia de la Iglesia?

"Acudían asiduamente a la enseñanza de los apóstoles, a la convivencia, a la fracción del pan y a las oraciones.

"Toda la gente sentía un santo temor, ya que los prodigios y señales milagrosas se multiplicaban por medio de los apóstoles. Todos los que habían creído vivían juntos unidos; compartían todo cuanto tenían, vendían sus bienes y propiedades y repartían después el dinero entre todos según las necesidades de cada uno.

"Todos los días se reunían en el Templo con entusiasmo, compartían el pan de sus casas y compartían sus comidas con alegría y con gran sencillez de corazón." BASADO EN HECHOS 2:42-47

"The followers of Jesus spent their time learning from the Apostles, and they were like family to each other. They also broke bread and prayed together.

"Everyone was amazed at the many miracles and wonders that the Apostles worked.

"All the Lord's followers often met together, and they shared everything they had. They would sell their property and possessions and give the money to whoever needed it. Day after day they met together in the temple. They broke bread together in different homes and shared their food happily and freely, while praising God."

BASED ON ACTS 2:42–47

Let's Talk

- After Jesus died, what did his friends and followers do when they got together?

- What did the followers of Jesus call themselves?

- How did they act like a family to each other?

- When do you gather with your Church family?

Creemos

Cuando nos reunimos para celebrar la Eucaristía, somos una Iglesia. Como miembros de la Iglesia, hemos recibido el don de la fe.

Los cristianos de hoy

Todos los domingos, los **católicos** se reúnen al igual que los primeros cristianos para celebrar la Resurrección de Jesús. Se reúnen para alabar y dar gracias a Dios. Todos recuerdan a Jesús, oran juntos y participan de una comida especial llamada **Eucaristía**. La Eucaristía también se conoce como Misa. Un sacerdote católico ordenado celebra la Misa con el pueblo. La Eucaristía es el corazón en la vida de la Iglesia.

Al principio de la Misa, hay un tiempo para reunirse en donde saludas a otros miembros de la familia de Dios. Te pones de pie y cantas una canción con los demás mientras el sacerdote y los ministros caminan en **procesión** al altar. Entre los ministros se incluyen los ayudantes para las tareas en el altar, el lector y posiblemente un diácono.

Christians Today

Every Sunday **Catholics** gather as the early Christians did, to celebrate the Resurrection of Jesus. They gather to praise and thank God. They remember Jesus, pray together, and take part in a special meal called the **Eucharist**. The Eucharist is also called the Mass. An ordained Catholic priest celebrates the Mass with the people. The Eucharist is at the heart of the life of the Church.

At the beginning of Mass, there is a gathering time. You greet other members of God's family. You stand and sing a song together as the priest and ministers walk in **procession** to the altar. The ministers include altar servers, the lectors, and often a deacon.

En el altar, ocurre el siguiente diálogo:

—En el nombre del Padre y del Hijo y del Espíritu Santo —dice el sacerdote.

—**Amén** —responde el pueblo y tú.

Estas palabras significan que crees que la Santísima Trinidad —Dios Padre, Dios Hijo y Dios Espíritu Santo— está presente en la Misa.

—El Señor esté con todos ustedes —dice luego el sacerdote, saludando al pueblo.

—**Y con tu espíritu** —respondes tú.

La gente a tu alrededor y tú alaban a Dios y le dan gracias por su misericordia.

—**Señor, ten piedad. Cristo, ten piedad. Señor, ten piedad** —responde el pueblo y tú.

Luego cantas o rezas **"Gloria a Dios..."**

Actividad

Te reúnes en la Misa para alabar y dar gracias a Dios.
Piensa en todo lo que Dios te ha dado.
Nombra tres cosas por las cuales estás agradecido.

1 _____

2 _____

3 _____

At the presider's chair the priest says, "In the name of the Father, and of the Son, and of the Holy Spirit." You answer, **"Amen."** These words say you believe that the Blessed Trinity is present at Mass—God the Father, God the Son, and God the Holy Spirit.

Then the priest greets the people saying "The Lord be with you." You respond, **"And with your spirit."**

You and the people around you praise God and thank him for his mercy. You pray, **"Lord, have mercy. Christ, have mercy. Lord, have mercy."**

Then you pray, **"Glory to God . . ."**

Activity

You gather at Mass to praise and thank God. Think about all that God has given you. **Name three things for which you are thankful.**

1 _____

2 _____

3 _____

Somos discípulos

Actividad **Seguimos a Jesús**

Los primeros cristianos se reunían para recordar a Jesús. Oraban juntos para alabar a Dios. Eran como una familia. Ayudaban a los necesitados.

¿En qué parecen los miembros de tu parroquia y tú a los primeros cristianos?

Dibuja 🙂 donde corresponda.

Nos reunimos para la Misa.

Ayudamos a los que son pobres.

No tenemos tiempo para los que están enfermos.

Nos ayudamos unos a otros.

Damos gracias a Dios.

Nunca damos dinero para ayudar a los necesitados.

Oramos unos por los otros.

En la parroquia

Aprende un canto de entrada que la gente cante en tu parroquia.

We Are Disciples

Activity **We Follow Jesus**

The early Christians gathered together to remember Jesus. They prayed together and praised God. They were like family to one another. They helped those in need.

How are you and members of your parish like the early Christians?

Draw a 🙂 next to each way.

We gather together for Mass.

We help those who are poor.

We have no time for people who are sick.

We care for one another.

We give thanks to God.

We never give money to help the needy.

We pray for one another.

Parish Connection

Learn a gathering song that people sing in your parish.

Demos gloria a Dios

 Líder

Cada vez que nos reunimos como hijos de Dios, damos gloria a Dios. Podemos dar gloria a Dios y alabarlo ahora mismo cuando decimos:

Todos

Gloria a Dios en el cielo.

 **Lector 1**

Te alabamos. Te damos gracias. Porque eres nuestro Padre, Dios omnipotente.

Todos

Gloria a Dios en el cielo.

 Lector 2

Señor Jesucristo, tú que estás sentado a la derecha de Dios Padre. Ten piedad de nosotros y atiende nuestra súplica.

Todos

Gloria a Dios en el cielo.

 Lector 3

Espíritu Santo, tú que eres uno con el Padre y Jesús. Vive en nosotros y haznos uno.

Todos

Gloria a Dios en el cielo.

El hogar y la familia

Nota para la familia

Querida familia:

He aprendido que los primeros seguidores de Jesús eran como una familia. Rezaban juntos, compartían unos con otros y ayudaban a los necesitados. Ustedes me pueden ayudar a prepararme para la Sagrada Comunión contándome cómo la Eucaristía los acerca más a Jesús y a los otros miembros de la Iglesia.

En familia

Conversen sobre cómo la participación en la Eucaristía los ayuda a sentirse parte de la Iglesia.

Hazlo tú mismo

Antes de ir a dormir esta noche, reza por todos los de tu clase de preparación para la Comunión. Pide a Dios que los ayude a todos a vivir y actuar como un buen miembro de la Iglesia, el cuerpo de Cristo.

RCLBsacraments.com

Con tu familia

La próxima vez que coman juntos en familia, comenta sobre las maneras de mostrar que son parte de la familia parroquial. Escoge una actividad de la parroquia que puedan hacer juntos.

Home and Family

Family Note

Dear Family,

I have learned that the first followers of Jesus were like a family. They prayed together, shared with one another, and helped the needy. You can help me prepare for First Holy Communion by telling me how the Eucharist brings you closer to Jesus and other Church members.

Family Chat

Discuss how the Eucharist helps you feel that you are part of the Church.

On Your Own

Before you go to sleep tonight, pray for everyone in your First Holy Communion class. Ask God to help everyone live and act as a good member of the Church, the Body of Christ.

With Your Family

The next time you eat together as a family, talk about ways to show you are one with the parish family. Choose a parish activity you can do together.

RCLBsacraments.com

Give God Glory

Leader Every time we gather as God's children, we give God glory. We can give God glory and praise right now as we say:

All Glory to God in the highest.

Reader 1 We worship you. We give you thanks. For you are our Father, the God almighty.

All Glory to God in the highest.

Reader 2 Lord Jesus Christ, you are seated at God's right hand. Have mercy on us, and hear our prayers.

All Glory to God in the highest.

Reader 3 Most Holy Spirit, you are one with the Father and with Jesus. Live in us and make us all one.

All Glory to God in the highest.

> ¡Felices, pues, los que escuchan la palabra de Dios y la observan! LUCAS 11:28

Historias

Piensa en una ocasión en que escuchaste a alguien leer de un libro. ¿Escuchaste atentamente? Tal vez aprendiste algo acerca de la gente que vivió hace mucho tiempo. A lo mejor escuchaste acerca de lugares remotos. O tal vez aprendiste cómo hacer algo. O tal vez sólo escuchaste una gran historia.

- ¿Cuál es tu historia favorita? ¿Qué aprendiste de esa historia?

- Haz un dibujo de esa historia. Relátala con tus propias palabras.

". . . [B]lessed are those who hear the word of God and observe it." LUKE 11:28

Stories

Think of a time you listened to someone read from a book. Did you listen closely? If so, you may have learned about people who lived a long time ago. Or perhaps you heard about faraway places. Maybe you learned how to make something. Or maybe you just heard a great story.

- What is your favorite story? What did you learn from this story?

- Draw a picture of this story. Tell it in your own words.

Palabra de Dios

Ojalá pudieran hoy oír su voz. No endurezcan sus corazones.

SALMO 95:7, 8

Escuchar a Jesús

A Jesús le gustaba relatar historias y la gente escuchaba. Un día, él relató esta historia:

"El sembrador salió a sembrar. Y mientras sembraba, unos granos cayeron a lo largo del camino; vinieron las aves y se los comieron. Otros cayeron en terreno pedregoso, con muy poca tierra, y brotaron en seguida, pues no había profundidad. Pero, apenas salió el sol, los quemó y, por falta de raíces, se secaron.

40

Listening to Jesus

Jesus liked to tell stories, and the people listened. One day, he told this story:

"A farmer went out to scatter seed in a field. While the farmer was scattering the seed, some of it fell along the road and was eaten by birds. Other seeds fell on thin, rocky ground and quickly started growing because the soil was not very deep. But when the sun came up, the plants were scorched and dried up, because they did not have enough roots.

Hablemos

- ¿Qué pasó con los granos que el sembrador sembró?

- ¿Qué aprendiste de la historia de Jesús?

- ¿Qué tipo de tierra quieres ser tú?

- ¿Cómo tú puedes ser "buena tierra"?

"Otros granos cayeron en medio de cardos; éstos crecieron entre los espinos y los ahogaron. Otros granos, finalmente, cayeron en buena tierra y produjeron cosecha, unos el ciento, otros el sesenta y otros el treinta por uno.

"El que tenga oídos, que escuche."

BASADO EN MATEO 13:3-9

En el relato de Jesús, los granos son la Palabra de Dios. Los diferentes tipos de tierra son las personas. Algunas personas escuchan la Palabra de Dios, pero no ponen atención. Otras personas escuchan la Palabra de Dios y viven de acuerdo a ella.

"Some other seeds fell where thorn bushes grew up and choked the plants. But a few seeds did fall on good ground where the plants produced a hundred or sixty or thirty times as much as was scattered.

"If you have ears, pay attention!"

BASED ON MATTHEW 13:1–9

The seeds in Jesus' story are God's Word. The different kinds of ground are the people. Some people hear God's Word, but do not pay attention. Other people listen to God's Word and live by it.

Let's Talk

- What happened to the seeds the farmer scattered?

- What did you learn from Jesus' story?

- What kind of ground do you want to be?

- How can you be "good ground"?

Creemos

Dios nos habla por medio de la Biblia. Nosotros escuchamos y respondemos.

La Palabra de Dios

Cada semana escuchas la Palabra de Dios en la lectura de la Biblia duante la Misa. Dios te habla. Necesitas escuchar atentamente. Ese momento en donde uno escucha la Palabra de Dios se llama **Liturgia de la Palabra**.

Te sientas, listo para escuchar. En la Primera Lectura escuchas un relato sobre el Pueblo de Dios que vivió muchos años antes de Jesús. Durante el tiempo de Pascua, la lectura se toma de Hechos de los Apóstoles.

Luego cantas una canción o un salmo de la Biblia. Se llama Salmo Responsorial.

Luego escuchas la Segunda Lectura. Ésta es un relato sobre los primeros cristianos. Después te pones de pie y escuchas el Evangelio. La palabra *evangelio* significa "buena nueva". El Evangelio nos relata lo que Jesús dijo e hizo.

Después que el sacerdote o diácono proclama el Evangelio, dice:

—**Palabra de Dios** —dice el sacerdote o diácono.

—**Gloria a ti, Señor Jesús** —responden la gente y tú.

Con estas palabras, das gracias a Jesús por mostrarte cómo amar a Dios.

God's Word

Every week, in readings from the Bible, you hear God's Word at Mass. God speaks to you. Good listening is needed. This time of listening to God's Word is called the **Liturgy of the Word.**

You sit, ready to listen. In the First Reading you hear a story about the People of God who lived many years before Jesus. During the Easter season the reading is from the Acts of the Apostles.

Then you sing a song or psalm from the Bible. It is called the **Responsorial Psalm**.

Next you listen to the Second Reading. This is a story about the first Christians. Then you stand and listen to the **Gospel.** The word *gospel* means "good news!" The Gospel tells what Jesus said and did.

After the priest or deacon proclaims the Gospel, he says, "The Gospel of the Lord." You say, **"Praise to you, Lord Jesus Christ."** With these words, you thank Jesus for showing you how to love God.

45

Después del Evangelio, el sacerdote explica la Palabra de Dios y te ayuda a entenderlo. Esta explicación se llama **homilía**.

Después de la homilía, todos se ponen de pie y rezan el **Credo**. El Credo dice que el Pueblo de Dios cree en Dios Padre, Dios Hijo y Dios Espíritu Santo.

Luego rezas la **Oracíon de los Fieles**. Pides a Dios que ayude a todos.

Actividad

Pon las partes de la Liturgia de la Palabra en orden.
Usa el número 1 para la primera, el 2 para la siguiente y continúa así hasta acabar.

_____ **Homilía**

_____ **Segunda Lectura**

_____ **Oración de los Fieles**

_____ **Salmo Responsorial**

_____ **Evangelio**

_____ **Primera Lectura**

Catholic Practices

The Creed most often prayed at Mass is called the Nicene Creed.

After the Gospel the priest or deacon explains the Word of God and helps you understand it. This talk is called the **homily**.

After the homily you and the rest of the people stand and pray the **Creed**. The Creed says the People of God believe in God the Father, God the Son, and God the Holy Spirit.

Then you pray the **Prayer of the Faithful**. You ask God's help for everyone.

Activity

Put the parts of the Liturgy of the Word in the correct order.
Use "1" for what comes first, "2" for what comes next, and so on.

_____ Homily   _____ Responsorial Psalm

_____ Second Reading   _____ Gospel

_____ Prayer of the Faithful   _____ First Reading

Somos discípulos

Actividad Escuchen y actúen

Jesús dijo: "Este es mi mandamiento: que se amen unos a otros como yo les he amado". Juan 15:12

1 ¿Cuáles niños crees que han escuchado las palabras de Jesús y actúan según ellas? **Encierra en un círculo la foto correspondiente.**

2 ¿Qué puedes hacer para demostrar que escuchas y actúas según las palabras de Jesús? **Escribe to respuesta o haz un dibujo aquí.**

En la parroquia

Habla con un lector de la parroquia. Piegúntale por qué se hizo lector.

We Are Disciples

Activity Listen and Act

[Jesus said,] "This is my commandment: love one another as I love you." JOHN 15:12

1 Which children do you think have listened to Jesus' words and are acting on them? **Circle the correct photo.**

2 What can you do to show that you listen to and act on Jesus' words? **Write your answer or draw a picture here.**

Parish Connection

Talk to a parish lector. Ask why he or she became a lector.

Oremos por los demás

Líder Cuando escuchamos a Jesús, aprendemos a amar a los demás. Demostremos nuestro amor ahora rezando por las necesidades de toda la Iglesia.

Lector 1 Por los líderes de la Iglesia, especialmente el Papa, nuestro Obispo y nuestro Cura párroco, oremos al Señor.

Todos Señor, escucha nuestra oración.

Lector 2 Por todos los maestros y las maestras, oremos al Señor.

Todos Señor, escucha nuestra oración.

Lector 3 Por todos los miembros de la parroquia, oremos al Señor.

Todos Señor, escucha nuestra oración.

Lector 4 Por los pobres y necesitados, oremos al Señor.

Todos Señor, escucha nuestra oración.

Lector 5 Por todos aquéllos que se están preparando para la Primera Comunión y sus familias, oremos al Señor.

Todos Señor, escucha nuestra oración.

Líder Oh, Dios!, nos gusta mucho escuchar tu Palabra. Ayúdanos a actuar de acuerdo a tu Palabra todos los días. Te lo pedimos en nombre de Jesús.

Todos Amen.

El hogar y la familia

Nota para la familia

Querida familia,

He aprendido que la Biblia es la Palabra de Dios. Jesús quiere que sus seguidores escuchen la Palabra de Dios y actúen según ella. Ustedes me pueden ayudar a prepararme para la Sagrada Comunión hablándome sobre el significado del Evangelio de cada domingo. Ayúdenme a entender cómo puedo vivir la Palabra de Dios.

En familia

Conversen sobre el mensaje de Jesús y por qué es una buena nueva para todos.

Hazlo tú mismo

Haz un marcador de libro que te haga recordar de escuchar la Palabra de Dios. Pon el marcador en un libro que estés leyendo ahora. Usa estas palabras:

¡Felices, pues, los queescuchan la palabra de Dios y la observan! Basado en Lucas 11:28

Con tu familia

Averigua cuál será la lectura del Evangelio el próximo domingo. Comenta su mensaje. Escribe una oración o haz un dibujo sobre qué te dice la Palabra de Dios.

RCLBsacraments.com

Home and Family

Family Note

Dear Family,

I have learned that the Bible is the Word of God. Jesus wants his followers to listen to God's Word and act on it. You can help me prepare for Holy Communion by discussing the meaning of each Sunday's Gospel reading. Help me to see how I can live God's Word in my life.

Family Chat

Talk about the message of Jesus and why it is Good News for everyone.

On Your Own

Make a bookmark that reminds you to listen to God's Word. Put the bookmark in a book you are reading now. Use these words:

Blessed are they who hear the word of God and act on it.

BASED ON LUKE 11:28

With Your Family

Find out what the Gospel reading for this Sunday will be. Discuss its message. Write a sentence or draw a picture about what God's Word says to you.

RCLBsacraments.com

We Pray for Others

Leader When we listen to Jesus, we learn how to love others. Let us show our love now by praying for the needs of everyone in the Church.

Reader 1 For all Church leaders, especially the Pope, our bishop, and our pastor, we pray to the Lord.

All Lord, hear our prayer.

Reader 2 For all teachers, we pray to the Lord.

All Lord, hear our prayer.

Reader 3 For everyone in our parish, we pray to the Lord.

All Lord, hear our prayer.

Reader 4 For people who are in need, we pray to the Lord.

All Lord, hear our prayer.

Reader 5 For all those preparing for First Holy Communion and for their families, we pray to the Lord.

All Lord, hear our prayer.

Leader Oh God, we love to listen to your Word. Help us act on it every day. We make this prayer in Jesus' name.

All Amen.

Que sus fieles canten al Señor,
y den gracias a su Nombre santo. SALMO 30:5

La preocupación de Karina

- ¿Cuáles eran las cualidades que tenía Karina?

- Piensa en tu familia y amigos. ¿Qué cualidades les dio Dios?

- ¿Qué cualidades te ha dado Dios a ti?

Karina se preocupaba de ser diferente. Su hermano mayor era un excelente trompetista. Su hermana era muy buena para los deportes. Sus amigos parecían ser muy inteligentes. Tenían muchos talentos.

—¿Para qué soy buena?—preguntó Karina a su abuela.

—Tú —dijo la abuela sonriendo y abrazándola — eres buena en hacer que tu querida y anciana abuela se sienta muy especial. Tú pasas tiempo conmigo. Sabes ómo hacerme reír. Escuchas todas mis historias,

Karina pensó en lo que hizo por su abuela. Ella pensó en sus cualidades y empezó a sentirse mejor. ¡Verdaderamente tenía muchas cosas de las que agradecer a Dios!

Giving Thanks and Praise

Sing praise to the Lord, you faithful;
give thanks to God's holy name.   PSALM 30:5

Kelly's Worry

Kelly worried about being different. Her older brother was a terrific trumpet player. Her sister was really good at sports. Her friends seemed to be so smart. They had so many talents.

"So what am I good at?" Kelly asked her grandmother.

Grandma smiled and gave her a big hug. "You're good at making your dear old grandmother feel very special. You spend time with me. You know how to make me laugh. You listen to all my stories."

Kelly thought about what she did for her grandmother. She thought about her gifts and started to feel better. She really did have a lot for which to thank God!

- What were the gifts that Kelly had?
- Think about your family and friends. What gifts has God given them?
- What gifts has God given you?

Todos los dones

Dios, nuestro Padre, te ha dado muchos dones maravillosos. Él te ha dado la vida. Él te ha dado todos tus talentos y habilidades. Él te ama verdaderamente y siempre cuidará de ti. Fuiste creada para estar con Dios.

Jesús, el Hijo de Dios, explicó a sus discípulos lo grande que es el amor del Padre. Jesús les dijo:

"Por eso yo les digo: No anden preocupados por su vida con problemas de alimentos, ni por su cuerpo con problemas de ropa. ¿No es más importante la vida que el alimento y más valioso el cuerpo que la ropa? Fíjense en las aves del cielo: no siembran, ni cosechan, no guardan alimento en graneros, y sin embargo el Padre del Cielo, el Padre de ustedes, las alimenta. ¿No valen ustedes mucho más que las aves?

All Good Gifts

God our Father has given you many wonderful gifts. He has given you life. He has given you all your talents and abilities. He truly loves you and will always take care of you. You were made to be with God.

Jesus, the Son of God, explained to his disciples how great the Father's love really is.

Jesus said to his disciples: "Don't worry about having something to eat, drink, or wear. Isn't life more than food or clothing? Look at the birds in the sky! They don't plant or harvest. They don't even store grain in barns. Yet your Father in heaven takes care of them. Aren't you worth more than birds?

"¿Quién de ustedes, por más que se preocupe, puede añadir algo a su estatura? Y ¿por qué se preocupan tanto por la ropa? Miren cómo crecen las flores del campo, y no trabajan ni tejen. Y si Dios viste así el pasto del campo, que hoy brota y mañana se echa al fuego, ¿no hará mucho más por usted? ¡Qué poca fe tienen?"

BASADO EN MATEO 6:25-30

"Can worry make you live longer? Why worry about clothes? Look how the wild flowers grow. They don't work hard to make their clothes. But I tell you that Solomon with all his wealth was not as well clothed as one of them. God gives such beauty to everything that grows in the fields, even though it is here today and thrown into a fire tomorrow. He will surely do even more for you!"

BASED ON MATTHEW 6:25–30

Let's Talk

- What is there in creation that shows you God's love?

- How can you thank God for his good gifts?

Agradecerle a Dios

La palabra *Eucaristía* significa "acción de gracias". Damos gracias por todo lo que Dios ha hecho por nosotros. Todo lo que tenemos, incluyendo el amor de Dios, es un don que Dios nos ha dado. Al mismo tiempo, lo alabamos por todo lo que es Dios.

La segunda parte de la Misa se llama la **Liturgia Eucarística**. Presentamos nuestras ofrendas a Dios, nuestro Padre. Llevamos las ofrendas del pan y del vino al altar. Las ofrendas también son un recordatorio de las bendiciones de Dios.

El sacerdote prepara las ofrendas del pan y el vino.

—Bendito seas, Señor, Dios del universo, por este pan, fruto de la tierra y del trabajo del hombre, que recibimos de tu generosidad y ahora te presentamos: él será para nosotros pan de vida —dice el sacerdote, poniendo las manos sobre el pan.

—**Bendito seas por siempre, Señor.** —respondemos nosotros.

Thanking God

The word **Eucharist** means thanksgiving. We give thanks for all that God has done for us. Everything we have, including God's love, is God's gift to us. At the same time, we give God our Father praise for all that God is.

The second main part of Mass is called the **Liturgy of the Eucharist**. We present our gifts to God our Father. We bring gifts of bread and wine to the altar. The gifts are a reminder of God's blessings.

The priest prepares the gifts of bread and wine. Over the bread the priest says, "Blessed are you, Lord God of all creation, for through your goodness we have received the bread we offer you: fruit of the earth and work of human hands, it will become for us the bread of life." We say, **"Blessed be God for ever."**

61

Poco después, empieza la **Plegaria Eucarística** que es la gran oración de acción de gracias de la Iglesia.

—Demos gracias al Señor, nuestro Dios —dice el sacerdote.

—**Es justo y necesario** —respondemos nosotros.

La Plegaria Eucarística es la oración de toda la Iglesia. Es tu oración. En esta oración, das gracias a Dios Padre por el don de su Hijo, Jesús, Dios hecho hombre. También das gracias a Dios por muchos otros dones especiales: tu vida, los miembros de tu parroquia y la Iglesia en todo el mundo, y los seguidores fieles de Cristo que han fallecido.

El sacerdote ofrece a Dios los dones de nuestra vida en la forma de pan y vino. Él ora para que todos se hagan uno por medio del Espíritu Santo. Juntos, alabamos a Dios y le damos gracias.

Actividad

¿Qué ofrecerás de ti a Dios este domingo? **Escribe o dibuja tu respuesta.**

Soon after, the **Eucharistic Prayer** begins. It is the Church's great prayer of thanksgiving. The priest says, "Let us give thanks to the Lord, our God." We say, **"It is right and just."**

The Eucharistic Prayer is the prayer of the whole Church. It is your prayer. In it you thank God the Father for the gift of his Son, Jesus, God made man. You also thank God for many other special gifts: your life, members of your parish and the Church around the world, and faithful followers of Christ who have died.

The priest offers the gifts of our lives to God in the form of bread and wine. He prays that everyone may be made one by the Holy Spirit. Together we praise God and give him thanks.

Activity

What gifts of yourself will you offer to God this Sunday? **Write or draw your answer.**

Somos discípulos

Demostrar acción de gracias

Dios te ha dado muchos dones. Le das gracias a Dios por estos dones cuando los usas de buena manera o los compartes con los demás.

Encierra en un círculo la mejor respuesta para cada oración o escribe tu respuesta en el espacio en blanco. Luego, di cómo puedes dar gracias a Dios por este don.

Yo soy una persona _____ .

divertida   **alegre**   **cariñosa**

¿Cómo puedo dar gracias a Dios por este don?

_____

Yo soy una persona buena para _____.

la lectura   **los deportes**   **el dibujo**

¿Cómo puedo dar gracias a Dios por este don?

_____

Me gusta _____.

bailar   **escuchar**   **cantar**

¿Cómo puedo dar gracias a Dios por este don?

_____

Practicas Católicas

El pan que se utiliza en la Misa no tiene levadura. El pan hecho de trigo se corta en pequeños círculos que se llaman hostias. El vino proviene de la uva.

We Are Disciples

Activity Showing Thanks

God has given you many gifts. You thank God for your gifts when you use them in good ways or share them with others.

Circle the best answer to each sentence, or write your own answer in the blank space. Then tell how you can thank God for this gift.

I am a _____ person.

funny   cheerful   caring

How can I thank God for this gift?

_____

I am good at _____.

reading   sports   drawing

How can I thank God for this gift?

_____

I like to _____.

dance   listen   sing

How can I thank God for this gift?

_____

Catholic Practices

The bread used at Mass has no yeast. The flat bread, made from wheat, is cut into small circles called hosts. The wine used is made from grapes.

Oración de acción de gracias

Lado 1 Dios nuestro, tú cuidas de la Tierra y envías la lluvia para que puedan crecer todo tipo de cosechas en el suelo.

Lado 2 Tus ríos nunca se secan y preparas la tierra para producir mucho grano.

Todos Te doy gracias, Señor, con toda mi alma.

Lado 1 Cuando tus pasos tocan la tierra, se recoge una rica cosecha.

Lado 2 La hierba del desierto florece y las montañas celebran.

Todos Te doy gracias, Señor, con toda mi alma.

Lado 1 Las praderas se llenan de ovejas y cabras.

Lado 2 Los valles rebozan de grano y retumban con canciones alegres.

Todos Te doy gracias, Señor, con toda mi alma.

BASADO EN SALMO 65:7–8, 10, 12, 14; SALMO 138:1

El hogar y la familia

Nota para la familia

Querida familia:

He aprendido que todos los dones provienen de Dios. Le damos gracias a Dios por estos dones durante la Misa. Lo hacemos especialmente durante la Plegaria Eucarística. Ustedes me pueden ayudar a prepararme para la Sagrada Comunión compartiendo algunas de las razones por las que dan gracias y alaban a Dios en la Misa.

En familia

Conversen sobre cómo los dones que Dios nos da se comparten con los familiares.

Hazlo tú mismo

Haz una tarjeta de agradecimiento para un miembro de la familia, o para un amigo o una amiga. Di por qué él o ella es un don de Dios para ti.

Con tu familia

La próxima vez que comas con tu familia, empieza la comida rezando una oración de acción de gracias a Dios.

RCLBsacraments.com

Home and Family

Family Note

Dear Family,

I have learned that all good gifts come from God. We thank God for these gifts at Mass. We do this especially during the Eucharistic Prayer. You can help me prepare for First Holy Communion by sharing some of the reasons you give God thanks and praise at Mass.

Family Chat

Talk about how the gifts we have from God are shared with members of the family.

On Your Own

Make a thank you card for a family member or friend. Tell why he or she is God's gift to you.

With Your Family

Think of all the gifts you have been given by God. The next time you eat with your family, start the meal by saying a prayer of thanks to God.

 RCLBsacraments.com

A Thanksgiving Prayer

 Side 1   Our God, you take care of the earth
and send rain to help the soil
grow all kinds of crops.

 Side 2   Your rivers never run dry,
and you prepare the earth
to produce much grain.

 All   I thank you Lord, with all my heart.

 Side 1   Wherever your footsteps
touch the earth,
a rich harvest is gathered.

 Side 2   Desert pastures blossom
and mountains celebrate.

All   I thank you Lord, with all my heart.

Side 1   Meadows are filled
with sheep and goats.

Side 2   Valleys overflow with grain
and echo with joyful songs.

All   I thank you Lord, with all my heart.

BASED ON PSALM 65:7–8, 10, 12, 14; PSALM 138:1

Hagan esto en memoria mía.

LUCAS 22:19

Recuerdos de familia

Gregorio disfrutó la visita a su abuelo. Le gustó especialmente mirar el álbum del abuelo. Tenía muchas fotos de los miembros de la familia. El abuelo relató interesantes historias sobre las personas en las fotos.

—¡Me acuerdo de esto! —dijo Gregorio, señalando una de las fotos—. Tú y la abuela vinieron a cenar. Nos contaste de dónde procedía la familia. La abuela nos contó que le jalaste el cabello en la escuela.

El abuelo sonrió. Los recuerdos eran agradables.

■ ¿Qué recuerdos comparte tu familia?

■ ¿Qué recuerdos te gusta compartir con tu familia?

5

> ". . . [D]o this in memory of me."
>
> LUKE 22:19

Family Memories

Greg enjoyed visiting his grandfather. He especially liked to look through Grandpa's scrapbook. It had many photos of family members. Grandpa told great stories about the people in the photos.

"I remember this!" Greg said, pointing to one of the photos. "You and Grandma came over for dinner. You told us where our family came from. Grandma told us how you pulled her hair in school."

Grandpa smiled. It was good to remember.

- What memories does your family share?
- What memories do you like to share with your family?

Recordar

Jesús no tenía fotos para mirar. Pero sabía la importancia de recordar. Cada año, Jesús celebraba una comida especial con sus amigos. En esa comida, recordaban cómo Dios salvó al pueblo judío de la esclavitud y les dio una nueva vida.

La noche antes de morir, Jesús y sus Apóstoles tuvieron esta comida para recordar. Jesús sabía que pronto iba a morir. Esta comida era su **Última Cena**.

Remembering

Jesus did not have photos to look at. But he did know how important it is to remember. Every year Jesus celebrated a special meal with his friends. At the meal they remembered how God saved the Jewish people from slavery and gave them a new life.

On the night before he died, Jesus and his Apostles ate this meal of remembering. Jesus knew he would soon die. This meal was his **Last Supper**.

Hablemos

- Cuando Jesús partió el pan y lo bendijo, ¿en qué se convirtió?

- Cuándo Jesús bendijo el vino, ¿en qué se convirtió?

- ¿Qué tenemos que hacer en memoria de Jesús?

En la Última Cena, Jesús tomó pan y, dando gracias, lo partió y se lo dio a sus discípulos diciendo: "Esto es mi cuerpo, que es entregado por ustedes. Hagan esto en memoria mía".
Hizo lo mismo con la copa después de cenar, diciendo: "Esta copa es la alianza nueva sellada con mi sangre, que es derramada por ustedes".

BASADO EN LUCAS 22:19-20

Jesús nos pide que recordemos. Durante la Misa, es Cristo, por medio del ministerio del sacerdote, el que ofrece el sacrificio de la Eucaristía. Durante la Misa, cuando recordamos la Muerte y Resurrección de Jesús, sabemos que él está con nosotros.

At the Last Supper, Jesus took bread and blessed it. He broke it and gave it to his disciples. He said, "This is my body, which will be given for you; do this in memory of me." He took the cup and said, "This cup is the new covenant in my blood, which will be shed for you."

BASED ON LUKE 22:19–20

Let's Talk

- When Jesus broke and blessed the bread, what did it become?

- When Jesus took and blessed the cup of wine, what did it become?

- What are we to do in memory of Jesus?

Jesus asks us to remember. At Mass it is Christ himself, acting through the priest, that offers the Eucharistic sacrifice. When we remember the Death and Resurrection of Jesus, we know that he is with us.

Un sacrificio de alabanza

En la Última Cena, Jesús habló del sacrificio que haría. Un sacrificio es una ofrenda a Dios. Jesús se ofreció a sí mismo a Dios Padre al sufrir y morir en la Cruz. Él ofreció a su Padre un acto de alabanza al hacer su voluntad.

Durante la Misa, recordamos el sacrificio de Jesús. También ofrecemos nuestra vida, nuestras oraciones y nuestras tareas a Dios Padre.

La Eucaristía es tanto una comida para recordar como una comida de sacrificio.

La Eucaristía se ofrece para el perdón de los pecados de los vivos y los muertos y para recibir la bendición espiritual de Dios. Durante la Plegaria Eucarística, el sacerdote usa las palabras de Jesús de la Última Cena. El sacerdote toma el pan y dice: **"Esto es mi Cuerpo"**. Después toma el cáliz con el vino y dice: **"Éste es el cáliz de mi sangre"**.

A Sacrifice of Praise

At the Last Supper, Jesus spoke about the **sacrifice** he would make. A sacrifice is a gift to God. Jesus offered himself to God the Father by suffering and dying on the Cross. He offered to his Father an act of praise by doing his will.

At Mass we give thanks for the sacrifice of Jesus. We also bring our own lives, our prayers, and our work to God the Father.

The Eucharist is both a meal of remembering and a meal of sacrifice. The Eucharist is offered to make up for the sins of the living and the dead and to receive spiritual blessings from God. During the Eucharistic Prayer, the priest uses the words of Jesus at the Last Supper. The priest takes the bread and says, "FOR THIS IS MY **B**ODY." He then takes the cup of wine and says, "FOR THIS IS THE CHALICE OF MY **B**LOOD."

Creemos

La Eucaristía recuerda del sacrificio de Jesús y lo hace presente.

El pan y el vino se convierten en el Cuerpo y la Sangre de Jesús. Esta parte de la Plegaria Eucarística se llama **consagración**.

Luego, el sacerdote te invita a proclamar el gran misterio de la fe. Todos oramos: **"Anunciamos tu muerte, proclamamos tu resurrección. ¡Ven, Señor, Jesús!"**. Esta respuesta de fe se llama **Aclamación**.

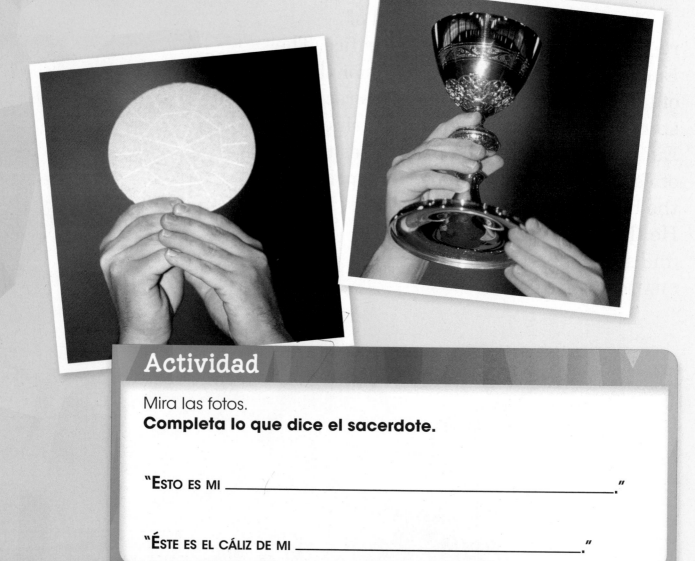

Actividad

Mira las fotos.
Completa lo que dice el sacerdote.

"ESTO ES MI _____."

"ÉSTE ES EL CÁLIZ DE MI _____."

The bread and wine become the Body and Blood of Christ. This part of the Eucharistic Prayer is called the **consecration**.

Then the priest invites you to proclaim the great mystery of faith. We all pray, **"We proclaim your Death, O Lord, and profess your Resurrection until you come again."** This response of faith is called the **Memorial Acclamation**.

Activity

Look at the photos.
Complete what the priest says.

"For this is my _BODY_."

"For this is the chalice of my _BLOOD_."

Somos discípulos

Actividad **Amor desinteresado**

Jesús se sacrificó porque te amaba. Él quiso liberarnos del pecado. Cuando amas a los demás, estás dispuesto a ser desinteresado. Renuncias a lo que quieres porque es mejor para otros.

Trabaja con un compañero o una compañera. Decidan cuál sería una elección desinteresada en cada caso.

Tía Paula está en un hogar de ancianos. Tu familia va a ir a visitarla, pero tú quieres quedarte en casa con tu hermano mayor para continuar un juego en la computadora.

¿Qué debes hacer?

Tu mamá necesita tu ayuda para limpiar después de la cena. Tú quieres continuar jugando afuera.

¿Qué debes hacer?

Prácticas Católicas

Nos arrodillamos desde el Santo, Santo, Santo hasta el Amén justo antes del Padre Nuestro. Esto demuestra respeto y reverencia.

¿Cuál es una manera en que puedes mostrar amor desinteresado en casa?

_____

_____

_____

_____

We Are Disciples

Activity Unselfish Love

Jesus sacrificed himself because he loved you. He wanted you to be free from sin. When you love others, you are willing to be unselfish. You give up what you want because it is better for others.

Work with a partner. Decide what would be the unselfish choice in each case.

Aunt Polly is in a care home. Members of your family are going to visit her. You want to stay home with your older brother and play a computer game.

What do you do?

Your mom needs your help cleaning up after dinner. You want to continue playing outside.

What do you do?

What is one way you can show unselfish love at home?

_____

_____

_____

_____

Catholic Practices

We kneel from after the Holy, Holy, Holy until after the Great Amen, right before the Our Father. This shows respect and reverence.

Recordamos y damos gracias

Lector 1   Padre amoroso, recordamos que Jesús murió y resucitó de nuevo para salvar al mundo.

Todos   ¡Amén, aleluya, amén!

Lector 2   Él se puso en nuestras manos para ser el sacrificio que te ofrecemos.

Todos   ¡Amén, aleluya, amén!

Lector 3   Nos maravillamos y damos alabanza cuando vemos lo que haces por nosotros por medio de tu Hijo Jesús.

¡Amén, aleluya, amén!

Lector 4   Por Cristo, con él y en él, a ti, Dios Padre omnipotente, en la unidad del Espíritu Santo, todo honor y toda Gloria por los siglos de los siglos.   *Misal Romano*

Todos   ¡Amén, aleluya, amén!

El hogar y la familia

Nota para la familia

Querida familia:

He aprendido que la Eucaristía es una comida de recuerdos y una comida de sacrificio. Recordamos el sacrificio de Jesús en la Cruz en cada Misa. Ustedes me pueden ayudar a prepararme para la Sagrada Comunión ayudándome a aprender las Aclamaciones que se dicen después de las palabras de la consagración.

En familia

Conversen sobre lo que aprendieron sobre Jesús.

Hazlo tú mismo

Concéntrate durante la Misa en las palabras y las acciones de la Plegaria Eucarística. Escucha lo que dice el sacerdote.

Con tu familia

Escojan un sacrificio que puedan realizar juntos. Recuerden que su familia es "la iglesia del hogar". Luego seleccionen una organización de beneficencia que toda la familia esté de acuerdo para apoyar. Den el dinero que ahorren para esta buena causa.

 RCLBsacraments.com

Home and Family

Family Note

Dear Family,

I have learned that the Eucharist is a meal of remembering and a meal of sacrifice. We remember Jesus' sacrifice on the Cross at every Mass. You can help me prepare for Holy Communion by helping me learn the Memorial Acclamations that are sung after the words of consecration.

Family Chat

Share what you remember learning about Jesus.

On Your Own

Focus at Mass on the words and actions of the Eucharistic Prayer. Listen to the words the priest says.

With Your Family

Decide on a sacrifice you can make together. Remember that your family is the domestic Church, the church of the home. Then select a charity that the whole family agrees to support by donating time, money, or other helpful items.

RCLBsacraments.com

We Remember and Give Thanks

Reader 1 Loving Father, we remember that Jesus died and rose again to save the world.

All Amen, alleluia, amen!

Reader 2 He put himself into our hands to be the sacrifice we offer you.

All Amen, alleluia, amen!

Reader 3 We are filled with wonder and praise when we see what you do for us through Jesus, your Son.

All Amen, alleluia, amen!

Reader 4 Through him, and with him, and in him, O God, almighty Father, in the unity of the Holy Spirit, all glory and honor is yours, for ever and ever. *Roman Missal*

All Amen, alleluia, amen!

Hagan la prueba y vean cuán
bueno es el Señor.

SALMO 34:1

La comida

Caty estaba encantada con la excursión de la escuela. Ahora era hora de comer. La Sra. Franklin les dio a los niños y las niñas las bolsas del almuerzo.

—¡Oh no! —se quejó Caty—. Dejé mi almuerzo en la escuela.

—No hay problema, Caty —dijo Sara—. Te convido parte de mi sándwich.

—Puedes comerte mis papas fritas —dijo Amanda.

—Yo te doy algunas uvas —añadió Tania.

—Tienes suerte en tener amigas que comparten —dijo la Sra. Franklin.

Las cuatro niñas se sentaron juntas.

—Gracias por compartir —dijo Caty sonriendo —. ¡En verdad tengo hambre!

- Cuenta sobre alguna ocasión en la que alguien ha compartido un alimento contigo.

- ¿Cómo te hizo sentir esta amabilidad?

Learn to savor how good the LORD is;
happy are those who take refuge in him.

PSALM 34:9

The Lunch

Katie really enjoyed the school field trip. Now it was time for lunch. Mrs. Franklin handed the children their brown-bag lunches.

"Oh no!" Katie cried. "I left my lunch at school."

"No problem, Katie," said Sarah. "You can have part of my sandwich."

"You can have my chips," said Amanda.

Tanya added, "Here are some grapes."

"You're lucky to have friends who will share," said Mrs. Franklin.

The four girls sat down together. Katie smiled and said, "Thanks for sharing. I'm really hungry!"

- Talk about a time when someone shared food with you.
- How did this kindness make you feel?

Compartir con los demás

Narrador: Cierto día una gran muchedumbre seguía a Jesús. Toda la mañana la gente lo escuchó hablar del amor de Dios. No pasó mucho tiempo cuando ya era hora del almuerzo.

Jesús: ¿Dónde podremos conseguir suficiente alimento para alimentar a toda esta gente?

Felipe: ¡No podemos alimentar a todos! ¡Necesitaríamos casi el sueldo de un año!

Andrés: Aquí hay un muchacho que tiene cinco panes de cebada y dos pescados. Pero, ¿qué es esto para tanta gente?

Sharing with Others

Narrator: One day a large crowd followed Jesus. All morning the people listened to him talk about God's love. Before long it was time for lunch.

Jesus: "Where will we get enough food to feed these people?"

Philip: "We can't feed them all! It would take almost a year's wages!"

Andrew: "I know a boy here who has five small loaves of bread and two fish. But what good is that with all these people?"

Hablemos

- ¿Cuál fue el problema que enfrentó Jesús?

- ¿Qué hizo Jesús para dar de comer a la gente?

- ¿Qué nos enseña esta historia acerca de Jesús?

Narrador: Jesús les pidió que se sentaran. Él tomó los panes del muchacho, dio gracias a Dios y los repartió entre la gente. Lo mismo hizo con los pescados, y todos recibieron cuanto quisieron. Luego Jesús dijo a sus discípulos que recogiesen las sobras para que no se perdiese nada. ¡Y con las sobras llenaron doce canastos!

BASADO EN JUAN 6:1–13

Narrator: Jesus told everyone to sit down. He took the boy's bread in his hands and gave thanks to God. Then he passed the bread to the people. He did the same with the boy's fish, until everyone had plenty to eat. The people ate all they wanted. Then Jesus told his disciples to gather up the leftovers so that nothing would be wasted. They gathered up the extra food and filled twelve large baskets!

BASED ON JOHN 6:1–13

Let's Talk

- What was the problem that Jesus faced?

- What did Jesus do to feed the people?

- What does this story teach us about Jesus?

Una comida para compartir

El relato de la Biblia que acabas de leer se llama la multiplicación de los panes y los peces. Jesús comparte el alimento que tiene con los demás.

La Eucaristía es también una comida para compartir. Cristo comparte su Cuerpo y su Sangre con nosotros. Esto que se comparte se llama **Sagrada Comunión**. La palabra comunión significa "unido a", porque tú estás unido a Jesús, el Hijo de Dios. Tú también estás unido a todas las personas reunidas en la Iglesia por todo el mundo.

Durante la Misa, la Sagrada Comunión viene después de la Plegaria Eucarística. Todos rezan la **Oración del Señor**. Esta oración nos recuerda que Dios es nuestro Padre. Todos somos hermanos y hermanas, miembros de una sola familia.

Compartes el **Signo de la Paz** con las personas que están cerca de ti. Así manifiestas la unidad con ellas. Luego rezas la oración que se llama **Cordero de Dios**. Le pides a Dios que tenga misericordia contigo. Quieres ser digno de recibir la Sagrada Comunión.

A Meal of Sharing

The Bible story you just read is called the Multiplication of the Loaves. Jesus shares the food he has with others.

The Eucharist is also a meal of sharing. Christ shares his Body and Blood with us. This sharing is called **Holy Communion**. The word **communion** means "one with," because you are one with Jesus, the Son of God. You are also one with every person gathered in church and throughout the world.

At Mass the time for Holy Communion comes after the Eucharistic Prayer. Everyone prays the **Lord's Prayer**. This prayer reminds us that God is the Father of us all. We are all brothers and sisters, members of one family.

You share the **Sign of Peace** with the people near you. You show that you are one with them. Then you say a prayer called the **Lamb of God**. You ask God to have mercy on you. You want to be worthy to receive Holy Communion.

Cuando recibimos la Comunión, recibimos el Cuerpo y la Sangre de Jesucristo. Él está presente en la Eucaristía.

Cuando te toca el turno de recibir:

—El Cuerpo de Cristo —dice el sacerdote, diácono, o ministro de la Eucaristía. —**Amén** —respondes tú.

Esta respuesta significa que crees que la Eucaristía es verdaderamente el Cuerpo y la Sangre de Cristo. Luego recibes la Eucaristía en tu mano o en tu lengua y tú la comes.

—La Sangre de Cristo —dice luego el sacerdote, diácono, o ministro de la Eucaristía. —**Amén** —respondes tú.

Esta respuesta significa que crees que Cristo está verdaderamente presente. Luego bebes un poco del cáliz.

Consulta *Un pequeño catecismo* en la página 166 para repasar los preceptos de la Iglesia. Estas reglas de la Iglesia son impotantes porque te enseñan lo que se espera de ti como miembro de la Iglesia.

Actividad

Lee Cómo recibir la Eucaristía en *Un pequeño catecismo*, página 160. Luego, con un compañero o una compañera practica para recibir la Sagrada Comunión. Túrnense para representar al ministro de la Eucaristía. **Practiquen para caminar a recibir la Eucaristía.**

When it is your turn to receive, the priest, deacon, or Eucharistic minister says, "The Body of Christ." You say, **"Amen."** This response means you believe the Eucharist is really the Body and Blood of Christ. Then the consecrated host is placed in your hand or on your tongue and you consume it.

When the priest, deacon, or Eucharistic minister says, "The Blood of Christ," you say, **"Amen."** This response means you believe that Christ is truly present. Then you drink from the cup.

Please turn to page 167 in *A Little Catechism* to review the precepts of the Church. These important rules of the Church teach you what is expected of you as a member of the Church.

This We Believe

When we receive Holy Communion, we are receiving the Body and Blood of Christ. He is fully present in the Eucharist.

Activity

Read How to Receive Eucharist in *A Little Catechism* on page 83. Then work with a partner to practice receiving Holy Communion. Your partner takes the role of Eucharistic minister. **Practice walking up and receiving Eucharist.**

Somos discípulos

Actividad Maneras de compartir

Así como Jesús comparte contigo, tú tienes que compartir con los demás. **En los espacios, escribe una manera en que puedes compartir.**

Alguien se siente solo. **Una manera de compartir:**

_____

_____

_____

Alguien está triste. **Una manera de compartir:**

_____

_____

_____

¿Cuál es otra manera de compartir?

_____

_____

_____

We Are Disciples

Activity **Ways to Share**

As Jesus shares with you, so you are to share with others.
In the spaces below, write the ways you can share.

Someone is lonely. **A way to share:**

_____

_____

_____

Someone is sad. **A way to share:**

_____

_____

_____

What is another way you can share?

_____

_____

_____

Catholic Practices

Catholics should receive Holy Communion when they go to Mass. Catholics are required to receive Holy Communion at least once a year.

Oración para compartir

Líder   Después de recibir la Sagrada Comunión, podemos permanecer en silencio con Jesús y compartir con él lo que tenemos en el corazón. Por favor, compartan con él ahora. Repitan después de mí.

- Jesús, yo te amo. (Todos repiten.)

- Gracias por estar conmigo. (Repiten.)

- Tú eres el pan de vida. (Repiten.)

- Gracias por compartir tu amor. (Repiten.)

Ahora cierren los ojos. Permanezcan en silencio y compartan con Jesús lo que tienen en el corazón.

(Pausa)

Para demostrar que estamos unidos unos con otros, tomémonos de las manos y oremos juntos la Oración del Señor.

Todos   Padre nuestro...

El hogar y la familia

Nota para la familia

Querida familia:

He aprendido que la Eucaristía es una comida sagrada para compartir. Jesús comparte su Cuerpo y su Sangre con nosotros. Nosotros compartimos del Cuerpo y la Sangre de Jesús. Ustedes me pueden ayudar a prepararme para la Sagrada Comunión practicando para recibir correctamente la Sagrada Comunión.

En familia

Conversen sobre la importancia de compartir. Discutan cómo cada miembro de la familia puede mejorar esto.

Hazlo tú mismo

Esta semana, sé amable. Comparte algo que tienes con un amigo, una amiga o un miembro de la familia.

Con tu familia

Compartan algo en familia con alguien menos afortunado o que necesite de cuidado.

RCLBsacraments.com

Home and Family

Family Note

Dear Family,

I have learned that the Eucharist is a holy meal of sharing. Christ shares his Body and Blood with us. We share in the Body and Blood of Christ. You can help me prepare for First Holy Communion by helping me to practice the correct way to receive the Body and Blood of Christ.

Family Chat

Talk about the importance of sharing. Discuss how family members can be better at it.

On Your Own

This week be kind. Share something you have with a friend or family member.

With Your Family

Share something as a family (time, money, food, clothing, prayer) with someone less fortunate or in need of your care.

RCLBsacraments.com

A Prayer of Sharing

Leader After receiving Holy Communion, we can spend quiet time with Jesus. We share with him what is in our heart. Please share with him now. Repeat what I say.

- Jesus, I love you. (All repeat)

- Thank you for being with me. (Repeat)

- You are the bread of life. (Repeat)

- Thank you for sharing your love. (Repeat)

Now close your eyes. Become quiet and share with Jesus what is in your heart.

(Pause)

To show that we are one with each other, let us join hands and pray the Lord's Prayer together.

All Our Father . . .

El amor por el que nos hacemos esclavos unos de otros.

GÁLATAS 5:13

- ¿Cuándo alguien necesitó tu ayuda?
- ¿Cómo te sentiste cuando ayudaste a esta persona?

El picnic de la parroquia

¡Cuánta gente! Parecía que todos estaban presentes en el picnic de la parroquia. Con razón la parroquia había pedido ayuda a voluntarios.

Ana observaba a su mamá poner galletas, panqueques y rebanadas de pastel en platos desechables. Ella los envolvía en papel celofán y los ponía en una bandeja.

Ana no sabía cómo ayudar.

—Sígueme —le dijo su papá mientras levantaba una bandeja—. Pregunta a las personas en cada mesa si quieren postre. Luego les pasas el plato que pidan.

Ana estaba un poco asustada, pero tomó más confianza después de servir la primera mesa. Ayudar hizo feliz tanto a otras personas como a Ana.

7

. . . [S]erve one another through love.

GALATIANS 5:13

The Parish Picnic

What a crowd! Everyone seemed to be at the parish picnic. No wonder the parish had asked for extra workers.

Amy watched her mom put cookies, cupcakes, and slices of pie on paper plates. She covered them with plastic wrap and put them on a tray.

Amy wasn't sure how to help. "Follow me," Dad said as he picked up a tray. "At each table, ask the people if they want a dessert. Then let them take what they want."

Amy was a bit frightened, but she grew more confident after the first table. Helping out not only made other people happy, it made her feel happy, too.

- When has someone needed your help?
- How did you feel when you helped this person?

Servicio con amor

En la Última Cena, Jesús les contó a sus discípulos sobre el amor de Dios. También les mostró cómo quería que sus seguidores amen y ayuden a los demás.

Antes de comer, Jesús se levantó de la mesa y se quitó el manto. Tomó una toalla y se la ató a la cintura. Luego echó agua en un recipiente y se puso a lavarles los pies a sus discípulos. Luego se los secó con la toalla.

Loving Service

At the Last Supper, Jesus told his disciples about God's love. He also showed them how he wanted his followers to love and help others.

During the supper Jesus rose from the table and took off his outer garments. He took a towel and tied it around his waist. Then he poured water into a basin. He began to wash the disciples' feet. Then he dried them with the towel around his waist.

105

Hablemos

- ¿Cómo Jesús sirvió a sus discípulos en la Última Cena?

- ¿Qué enseñó Jesús a sus discípulos con sus acciones?

- ¿Cuáles son algunas maneras en que los cristianos sirven a los demás hoy en día?

Lavar los pies de las personas antes de comer era generalmente el trabajo del sirviente. Jesús no era un sirviente, sino el líder de los Apóstoles. Aún así, él les lavó los pies.

Jesús dijo: "¿Comprenden lo que he hecho con ustedes? Si yo, Maestro y Señor, les he servido, entonces ustedes deberían servirse los unos a los otros. Les he dado el ejemplo a seguir. Lo que yo he hecho por ustedes, ustedes lo deberían hacer por los otros".

BASADO EN JUAN 13:4-5, 12-15

Washing people's feet before they ate was usually the job of a servant. Jesus was not a servant, but the leader of the Apostles. Yet he still washed their feet.

Jesus said, "Do you know what I have done for you? If I, the master and teacher, have served you, then you ought to serve one another. I have given you a model to follow. As I have done for you, you should also do for others."

BASED ON JOHN 13:4–5, 12–15

Let's Talk

■ How did Jesus serve his disciples at the Last Supper?

■ What was Jesus teaching the disciples by his actions?

■ What are ways Christians serve others today?

Actuamos como Jesús

En la Última Cena, Jesús les dio a sus discípulos una **misión** o una tarea especial. Les pidió que demuestren amor a Dios con el servicio a los demás. Lo mismo sucede en la Misa hoy en día. La Eucaristía te llena con el amor de Dios. Recibes la **gracia**, que es participar en la misma vida de Dios. Inspirado por el Espíritu Santo, también sirves a los demás.

La palabra **Misa** significa "enviado". Cuando termina la Misa, el sacerdote te envía a actuar como Jesús en el mundo. Recibes la misión de servir a los demás.

Terminada la Comunión, el sacerdote da la **bendición** de Dios a todos.

—La bendición de Dios todopoderoso, Padre, Hijo y Espíritu Santo, descienda sobre ustedes —dice el sacerdote, mientras todos en la Asamblea hacen la señal de la cruz.

—**Amén** —responden todos.

We Act Like Jesus

At the Last Supper, Jesus gave his disciples a **mission**, or special job. He told them to show God's love by serving others. The same thing happens at Mass today. The Eucharist fills you with God's love. You receive **grace**, a share in God's own life. Inspired by the Holy Spirit, you can serve others, too.

The word **Mass** means "sent." As Mass ends the priest sends you out to act like Jesus in today's world. You receive a mission to serve others.

After Communion, the priest gives everyone God's **blessing**. He says, "May almighty God bless you, the Father, and the Son, and the Holy Spirit." You and everyone assembled make the Sign of the Cross and say, **"Amen."**

Creemos

La Iglesia es un signo de Salvación para el mundo. Es el signo de comunión entre Dios y la humanidad.

—Glorifiquen al Señor con su vida. Podéis ir en paz. —dice luego el sacerdote.

—**Demos gracias a Dios** —responden todos.

La Misa se termina, pero los efectos de la Eucaristía continúan por medio de ti. Jesús está contigo todos los días de la semana. Él te ayuda a amar y servir a todos con quienes te encuentres.

Actividad

Mira las ilustraciones de estas dos páginas.

Di cómo cada persona está actuando para amar y servir al Señor.

_____

_____

_____

_____

_____

_____

_____

_____

Then the priest says, "Go in peace, glorifying the Lord by your life." You answer, **"Thanks be to God."**

The Mass is over, but the effects of the Eucharist continue through you. Jesus is with you every day of the week. He helps you love and serve everyone you meet.

Activity

Look at the pictures on these two pages.

Tell how each person is acting to glorify the Lord.

_____

_____

_____

_____

_____

_____

_____

_____

_____

Somos discípulos

Actividad **Servir a los demás**

Jesús siempre amó y sirvió a los demás. De la Misa te envían a amar y servir.

Piensa en una manera de servir a otros en la casa, la escuela o en tu parroquia. Escribe o dibuja tus servicios aquí.

Escribe

_____

_____

_____

_____

_____

_____

Dibuja

Prácticas Católicas

Las parroquias católicas colectan dinero, alimentos y ropa para ayudar a los pobres. Cuando das estas cosas, tú amas y sirves al Señor.

We Are Disciples

You are sent forth from Mass to glorify the Lord
by loving and serving others.
Think of one way you can do this at home,
at school, or in your parish. Write about or
draw a picture of your service here.

Write

I serv others by geting the food!

Draw

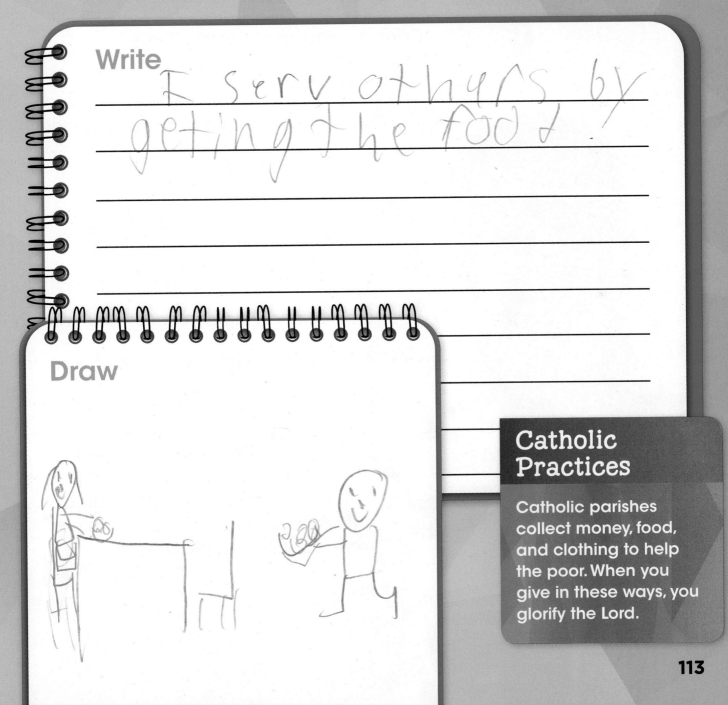

Catholic Practices

Catholic parishes collect money, food, and clothing to help the poor. When you give in these ways, you glorify the Lord.

Amamos y servimos

Líder Padre celestial, tú sabes que hay muchas necesidades en el mundo. Llénanos con tu amor para poder servir a los demás como lo hizo Jesús.

Líder Cuando alguien necesita alimento,

Todos Señor, ayúdanos a servir con amor.

Líder Cuando alguien necesita refugio,

Todos Señor, ayúdanos a servir con amor.

Líder Cuando alguien necesita abrigo,

Todos Señor, ayúdanos a servir con amor.

Líder Cuando alguien necesita ayuda adicional,

Todos Señor, ayúdanos a servir con amor.

Líder Cuando alguien necesita un amigo,

Todos Señor, ayúdanos a servir con amor.

Todos Señor Dios, nosotros te amamos y creemos en ti. Ayúdanos a gozar el don de tu amor y a esparcir tu amor por todas partes con nuestros servicio de amor a los demás. Te lo pedimos por Jesucristo, tu Hijo. Amén.

Dar

El hogar y la familia

Nota para la familia

Querida familia:

He aprendido que Jesús sirvió a sus discípulos al lavar sus pies. Jesús quiere que también sirvamos a los demás. Pueden ayudar a prepararme para la Eucaristía explicándome cómo la Sagrada Comunión los fortalece para amar y servir a los demás diariamente.

En familia

Conversen sobre las diferentes maneras en que los miembros de tu parroquia sirven a los demás.

Hazlo tú mismo

Haz un calendario para esta semana. Para cada día, escribe una manera en que puedes servir a los demás en la casa. Luego practica tus ideas.

Con tu familia

Decidan de qué manera los miembros de tu familia pueden trabajar juntos para responder a una necesidad de su parroquia, pueblo o barrio.

RCLBsacraments.com

Home and Family

Family Note

Dear Family,

I have learned that Jesus served his disciples by washing their feet. Jesus wants us to serve others, too. You can help me prepare for First Holy Communion by discussing how Eucharist strengthens you to love and serve others each day.

Family Chat

Use a parish bulletin to help discuss different ways that members of your parish serve others.

On Your Own

Make a calendar for this week. On each day write one way you can serve others at home. Then carry out your ideas.

With Your Family

Decide one way family members can work together to meet a need in your parish, town, or neighborhood.

RCLBsacraments.com

We Love and Serve

Leader Heavenly Father, you know there are many needs in today's world. Fill us with your love so that we may serve as Jesus did.

Leader When someone needs food,

All Lord, help us serve with love.

Leader When someone needs shelter,

All Lord, help us serve with love.

Leader When someone needs clothing,

All Lord, help us serve with love.

Leader When someone needs extra help,

All Lord, help us serve with love.

Leader When someone needs a friend,

All Lord, help us serve with love.

All Lord God, we love you and we glorify you. May we enjoy the gift of your love and spread it everywhere through loving service. We ask this in the name of Jesus, your Son. Amen.

Esto es mi cuerpo, que es entregado por ustedes. Hagan esto en memoria mía.

Lucas 22:19

Un día para recordar

¡Tu Primera Comunión es un día santo que siempre recordarás! ¡Recibiste el Cuerpo y la Sangre de Cristo por primera vez! Estás en una santa comunión con Jesús y con su comunidad, la Iglesia.

El recuerdo de este día santo y todo lo que hiciste para prepararte para la celebración te ayudará a entender mejor la Eucaristía.

- Mi parte favorita de la preparación para la Primera Comunión fue...

- Aprendí sobre las muchas comidas que tuvo Jesús con amigos y extraños. Una historia que recuerdo es...

- A medida que mi Primera Comunión se acercaba, recuerdo que me sentí...

Living Eucharist

"This is my body, which will be given for you; do this in memory of me." LUKE 22:19

A Day to Remember

Your First Communion is a holy day that you will always remember! You received the Body and Blood of Christ for the first time! You are in a holy communion with Jesus and with his community, the Church.

Remembering this holy day and all you did to prepare for the celebration will help you better understand the Eucharist.

- My favorite part of preparing for First Communion was . . .

- I learned about the many meals Jesus had with friends and strangers. One story I remember is . . .

- As my First Communion drew near, I remember feeling . . .

Recordamos

Toda la Iglesia en el Cielo y en la Tierra se regocija porque tú has recibido a Cristo en la Eucaristía. Recuerda cómo fue cuando llegaste a la iglesia en ese día especial. Recuerda la gente, el entorno, los sonidos, los cantos, la historia, la comida.

Al recordar cada parte de la Misa, di por qué cada una es importante. Esto te ayudará a comprender mejor el Sacramento que celebraste.

We Remember

The whole Church in Heaven and on Earth rejoices that you have received Christ in the Eucharist. Remember what it was like when you arrived at church on that special day.

Remember the people, the sights and the sounds. Remember the songs, the story, the meal.

As you recall each part of the Mass, tell why each is important. This will give you a deeper understanding of the Sacrament you celebrated.

Reunión

La Eucaristía comienza cuando el pueblo de Dios se reúne para alabar a Dios.

¿Qué recuerdas sobre tu llegada a la Iglesia? ¿Quién estaba contigo? ¿Cómo te sentiste?

Liturgia de la Palabra

Dios nos habla durante la Liturgia de la Palabra.

Recuerda cuando estabas sentado escuchando la proclamación de la Palabra de Dios. ¿Qué palabras o pensamientos recuerdas?

Gathering

The Eucharist begins when God's people gather together to worship God.

What do you remember about first arriving at church? Who was with you? How did you feel?

Liturgy of the Word

God speaks to us in the Liturgy of the Word.

Picture yourself sitting and listening to God's Word being proclaimed. What words or thoughts do you remember?

Liturgia Eucarística

Durante la Plegaria Eucarística, tú junto con todos en la Iglesia se arrodillaron en oración mientras recordábamos la historia de la Última Cena de Jesús.

Tomó el pan y se lo dio a sus discípulos diciendo: "Esto es mi Cuerpo". Tomó la copa diciendo: "Esta es mi Sangre".

El pan y el vino se convirtieron en el Cuerpo y la Sangre de Cristo.

Recuerda cómo te sentiste cuando escuchaste esas palabras arrodillado en oración. Describe cómo te sentiste.

Liturgy of the Eucharist

During the Eucharistic Prayer, you and the whole Church knelt in prayer as we remembered the story of Jesus' Last Supper.

He broke the bread, gave it to his disciples and said, "This is my Body." He took the cup and said, "This is my Blood."

The bread and wine became the Body and Blood of Christ.

Remember how you were feeling as you heard these words and knelt in prayer. Describe what you felt.

Rito de comunión

Estamos unidos con Cristo y unos con otros en Santa Comunión.

Recuerda cuando recibiste el Cuerpo y la Sangre de Cristo por primera vez. ¿Cómo te sentiste? ¿Qué había en tu corazón?

Rito de conclusión

Nos envían a continuar la buena labor de Jesús.

¿Qué sentiste al salir de la iglesia?

¿Qué hicieron tu familia y tú después de salir de la iglesia?

Communion Rite

We are united with Christ and with one another in Holy Communion.

Imagine yourself as you received the Body and Blood of Christ for the first time. What did you feel? What was in your heart?

Dismissal

We are sent forth to continue doing the good work of Jesus.

What were you feeling as you left the church?

What did you and your family do after you left church?

Tu misión

La Eucaristía te da fuerza para salir y realizar la obra de Jesús. El sacerdote te envía con la misión de transmitir a otros la Buena Nueva. Él dice al final de la Misa: "Anunciad a todos la alegría del Señor resucitado. Podéis ir en paz".

¿Cómo amarás y servirás al Señor?

¿Cómo te ha hecho tu Primera Comunión un mejor seguidor de Jesús?

Colecta de alimentos

Your Mission

The Eucharist gives you strength to go out and do the work of Jesus. The priest sends you forth with a mission to tell others the Good News. He says at the end of Mass, "Go and announce the Gospel of the Lord."

How will you go forth to announce the Gospel of the Lord?

How has your First Communion made you a better follower of Jesus?

Un gran banquete

Cuando des un banquete, invita más bien a los pobres, a los inválidos, a los cojos y a los ciegos. BASADO EN LUCAS 14:13

Líder

La Eucaristía es una comida especial, un gran banquete, un festín sagrado para la Iglesia. Tú has venido a la mesa del Señor. Tú eres uno de los discípulos elegidos de Jesús y ahora ocupas un lugar en la mesa.

Permanece sentado en silencio e imagina el gran banquete mientras yo leo la historia de la Biblia.

Lectura de la historia del gran banquete *(Proclama Lucas 14:7-14)*.

Reflexión

¿Cómo la celebración de la Primera Comunión te ayuda a servir a los pobres, a los inválidos, a los cojos y a los ciegos? Da un ejemplo.

Líder

Recemos todos juntos:

Querido Jesús, te doy gracias por entregarte a mí en Sagrada Comunión. La Eucaristía me ha acercado más a ti. Que la Eucaristía me dé la fuerza necesaria para ser un mejor discípulo tuyo. Amén.

El hogar y la familia

Nota para la familia

Querida familia:

He aprendido que la Eucaristía en un santo misterio. Mi Primera Comunión me ayudó a comprender mejor este misterio. Mi Primera Comunión me unió a Jesús y a mi comunidad.

En familia

¿Qué significa la Eucaristía para ti?

Hazlo tú mismo

Piensa acerca de las diferentes partes de la celebración de tu Primera Comunión. Cierra los ojos e imagina que estás en ese día de nuevo. ¿Qué significado tiene para ti?

RCLBsacraments.com

Con tu familia

Saca las fotos de tu Primera Comunión y conversa con tu familia: ¿Por qué fue un día importante? ¿Qué lo hace tan santo? ¿Cómo la Eucaristía hace que tu familia y tú sean mejores discípulos?

Home and Family

Family Note

Dear Family,

I have learned that Eucharist is a holy mystery. My First Holy Communion helped me to better understand this mystery. My First Holy Communion united me with Jesus and my parish community.

Family Chat

What does Eucharist mean to you?

On Your Own

Think about the different parts of your First Holy Communion celebration. Close your eyes and imagine you are back in that day again. What do you remember?

With Your Family

Look at your pictures from First Holy Communion. Talk about why it was an important day and what makes it so holy. How does the Eucharist make your family better disciples?

RCLBsacraments.com

A Great Banquet

". . . [W]hen you give a banquet, invite the poor, the crippled, the lame, [and] the blind; . . ."

LUKE 14:13

Leader
The Eucharist is a special meal, a great banquet, a sacred feast for the Church. You have come to the table of the Lord. You are one of Jesus' chosen disciples and you now have a place at the table.

Sit silently and imagine the great banquet as I read the story from the Bible.

(Read Luke 14:7-14.)

Reflection
How does celebrating First Communion help you to serve the poor, the crippled, the lame, and the blind? Give an example.

Leader
Together let us pray:

Dear Jesus, thank you for giving me yourself in Holy Communion. Eucharist has brought me closer to you. May the Eucharist strengthen me to be a better disciple. Amen.

un Pequeño Catecismo

Después tomó el pan y, dando gracias, lo partió y se lo dio diciendo: "Esto es mi cuerpo, que es entregado por ustedes. Hagan esto en memoria mía."

LUCAS 22:19

Creemos

Celebramos

Vivimos

Oramos

a Little Catechism

Then he took the bread, said the blessing, broke it, and gave it to them, saying, "This is my body, which will be given for you; do this in memory of me."

LUKE 22:19

We Believe

We Celebrate

We Live

We Pray

Creemos

Es importante usar las palabras correctas para hablar de tu fe. Cuando usas las palabras correctas, puedes compartir tu fe con los demás. He aquí una lista de algunas de las cosas que has aprendido. A medida que crezcas, aprenderás más y más sobre estas creencias.

1. **La Sagrada Trinidad** es el misterio de un solo Dios en Tres Personas divinas: Dios Padre, Dios Hijo y Dios Espíritu Santo. Hay un solo Dios pero Dios es Tres Personas. Puedes decir: "Creo en Dios: Padre, Hijo y Espíritu Santo."

2. **Jesús es el Hijo de Dios,** el único Hijo del Padre. Dios amó tanto a su pueblo que envió a su hijo Jesús para morir por nuestros pecados. Jesús se convirtió en hombre y vino al mundo para mostrarnos el amor del Padre y para salvar a toda la gente.

3. **El nombre Jesús** significa "Dios salva." Jesús nos salva con su Pasión, Muerte, Resurrección y Ascensión. Esto se llama Misterio Pascual.

4. **El Misterio Pascual,** la Pasión, Muerte, Resurrección y Ascensión de Jesús, se hace presente en la celebración de la Eucaristía. Sus efectos salvadores se encuentran en todos los Sacramentos de la Iglesia.

5. **Jesús vendrá de nuevo** al final de los tiempos para juzgar a los vivos y a los muertos.

6. **Dios nos hizo porque** nos ama y es sólo con Dios que encontraremos la verdadera felicidad.

7. **El don del Espíritu Santo** fue dado a la Iglesia. El Espíritu Santo con el Padre y el Hijo guía a la Iglesia.

8. **Los Apóstoles** enseñaron a la gente todo lo que Jesús les había enseñado. La Iglesia continúa la obra de Jesús hoy en día con la ayuda del Espíritu Santo.

9. **La Iglesia** es el Pueblo de Dios, el Cuerpo de Cristo. Aquéllos que se nutren con el Cuerpo de Cristo se convierten en el Cuerpo de Cristo. La Iglesia comparte la Buena Nueva de Jesucristo con los demás.

It is important to have the right words to talk about your faith. When you use the right words, you can share your faith with others. Here is a list of some of the things you have learned. As you grow older, you will learn more and more about these beliefs.

1. **The Blessed Trinity** is Three Persons in One God: God the Father, God the Son, and God the Holy Spirit. There is only One God, but God is Three Persons. You can say, "I believe in God—Father, Son, and Holy Spirit."

2. **Jesus is the Son of God,** the only Son of the Father. God loved his people so much that he sent his Son, Jesus, to die for our sins. Jesus became man and came to Earth to show us the Father's love and to save all people.

3. **The name Jesus** means "God saves." Jesus saved us by his Passion, Death, Resurrection, and Ascension. This is called the Paschal Mystery.

4. **The Paschal Mystery,** Jesus' Passion, Death, Resurrection, and Ascension, is made present in the celebration of the Eucharist. Its saving effects are carried on through the Sacraments of the Church.

5. **Jesus will come again** at the end of time to judge those living and those who have died.

6. **God made us** to love him, and it is only with God that we will find true happiness.

7. **The gift of the Holy Spirit** was given to the Church. The Holy Spirit works with the Father and the Son to guide the Church.

8. **The Apostles** taught the people all that Jesus had taught them. The Church carries on the work of Jesus today with the help of the Holy Spirit.

9. **The Church** is the People of God, the Body of Christ. Those nourished by the Body of Christ become the Body of Christ. The Church shares the Good News of Jesus Christ with others.

10. **La Iglesia enseña** la Ley de Dios. Los católicos siguen las enseñanzas de la Iglesia, especialmente las enseñanzas del Papa y las de los obispos junto con el Papa.

11. **El Espíritu Santo** guía a la Iglesia y ayuda a profundizar la verdad a los seguidores de Jesús. La Iglesia es el Templo del Espíritu Santo.

12. **Aquéllos que siguen a Jesús** saben que son llamados a servirse unos a otros con amor y a compartir el mensaje de Jesús con los demás.

13. **Jesús da muchos dones** y el mejor don es compartir en la propia vida de Dios, la cual es llamada gracia.

14. **El Jesús Resucitado** está con el Pueblo de Dios en la Eucaristía y en los otros Sacramentos.

15. **Dios nos creó.** Nuestras vidas son buenas. Todo don que poseemos proviene de Dios. Somos libres y podemos hacer elecciones.

16. **Por medio del Bautismo** llegamos a ser hijos e hijas adoptivos de Dios a través de Jesucristo.

17. **Dios** ha dado a cada persona el don del libre albedrío. Esta libertad hace responsable a las personas de las elecciones que hacen.

18. **Respondemos** al amor de Dios siguiendo sus Mandamientos y tratando con todo el corazón de ser fiel, de respetar toda vida y de hacer lo que es correcto.

19. **María es la Madre de Dios** y también nuestra Madre. Nos acercamos a María en oración, ella nos ayudará.

20. **La oración** es elevar nuestra mente y corazón hacia Dios. En la oración nosotros alabamos a Dios, le pedimos a Dios que nos ayude, y damos gracias a Dios por sus dones. También oramos por otras personas. La oración es la mejor manera de permanecer en el camino correcto.

10. **The Church teaches** the Law of God. Catholics follow the teachings of the Church, especially the teachings of the Pope, and the bishops together with the Pope.

11. **The Holy Spirit** guides the Church and helps keep the followers of Jesus faithful to the truth. The Church is the Temple of the Holy Spirit.

12. **Those who follow Jesus** know that they are called to serve one another in love and to share the message of Jesus with others.

13. **Jesus gives many gifts** and the best gift is a share in God's own life, which is called grace.

14. **The Risen Jesus** is with the People of God in the Eucharist and in the other Sacraments.

15. **God created us.** Our lives are good. Every gift we have comes from God. We are free and can make choices.

16. **In Baptism** we become adopted children of God through his Son, Jesus Christ.

17. **God** has given every person the gift of free will. This freedom makes people responsible for the choices they make.

18. **We respond** to God's love by keeping his Commandments and by trying with all our hearts to be faithful, to respect all life, and to do what is right.

19. **Mary is the Mother of God** and our Mother, too. We turn to Mary in prayer. She will help us.

20. **Prayer** is lifting one's mind and heart to God. In prayer we praise God, ask God to help us, and give thanks to God for his gifts. We also pray for other people. Prayer is the best way to stay on the right path.

Preguntas importantes

Las preguntas y respuestas de abajo te ayudarán a recordar lo que aprendes a medida que te preparas para celebrar los Sacramentos de la Penitencia y la Reconciliación y Eucaristía. Intenta aprender las respuestas de memoria.

1. ¿Por qué los Evangelios son tan importantes?

Los cuatro Evangelios son importantes porque nos relatan acerca de la vida y las enseñanzas de Jesucristo.

2. ¿Qué es una conciencia?

Una conciencia es la habilidad de saber lo que es correcto y hacer lo que es correcto. Las Leyes de Dios y las enseñanzas de la Iglesia ayudan a formar una conciencia correcta.

3. ¿Cómo el pecado afecta la relación de una persona con Dios?

El pecado es una ofensa contra Dios y sus Leyes. El pecado es la elección de alejarse de Dios. El pecado mortal rompe la relación de una persona con Dios.

4. ¿Qué Sacramento ayuda a la gente a sanar su relación con Dios?

El Sacramento de la Penitencia y la Reconciliación, o Penitencia, celebra el perdón amoroso de Dios.

5. ¿Por qué la Eucaristía es el centro de la vida católica?

La noche antes de morir, Jesús nos dio la Eucaristía al compartir su Cuerpo y Sangre con sus amigos bajo las apariencias del pan y el vino. Jesús continúa estando presente hoy en la Misa, es decir en la gente que se reúne, en la Palabra de Dios, en la persona del sacerdote y especialmente en el pan y vino consagrados que se han convertido en el Cuerpo y la Sangre de Cristo.

6. ¿Qué misión recibes tú al final de la Misa?

Soy enviado a amar y servir al Señor.

Important Questions

The questions and answers below will help you remember what you learn as you prepare for the Sacraments of Penance and Reconciliation and Eucharist. Try to learn the answers by heart.

1. Why are the Gospels so important?

The four Gospels are important because they tell about Jesus Christ— his life and his teachings.

2. What is a conscience?

A conscience is the ability to know what is right and to do what is right. God's Law and the teaching of the Church help to form a correct conscience.

3. How does sin affect a person's relationship with God?

Sin is an offense against God and his Law. Sin is choosing to turn away from God. Mortal sin breaks a person's relationship with God.

4. Which Sacrament helps people heal their relationship with God?

The Sacrament of Penance and Reconciliation celebrates God's loving forgiveness.

5. Why is the Eucharist the heart of Catholic life?

The night before he died Jesus gave us the Eucharist by sharing himself, Body and Blood, under the appearance of bread and wine. Jesus continues to be present today in the Mass: in the people gathered; in the Word of God; in the person of the priest; and especially in the consecrated bread and wine which have become the Body and Blood of Christ.

6. What mission do you receive at the end of Mass?

I am sent to glorify the Lord by my life.

Cosas que recordar

Los dones del Espíritu Santo

- Sabiduría
- Entendimiento
- Ciencia
- Consejo
- Piedad
- Fortaleza
- Temor de Dios

Obras espirituales de misericordia

- Enseñar
- Aconsejar
- Consolar
- Sufrir con paciencia
- Perdonar
- Rezar por los vivos y muertos

Obras corporales de misericordia

- Dar de comer al hambriento
- Dar de beber a los sedientos
- Vestir al desnudo
- Dar techo al que no lo tiene
- Visitar a los enfermos
- Visitar a presos
- Enterrar a los muertos

El Mandamiento Mayor

Amarás al Señor tu Dios con todo tu corazón, con toda tu alma y con toda tu mente. Amarás a tu prójimo como a ti mismo.

Things to Remember

The Gifts of the Holy Spirit

- Wisdom
- Understanding
- Knowledge
- Counsel
- Piety
- Fortitude
- Fear of the Lord

Spiritual Works of Mercy

- Help the sinner.
- Teach the ignorant.
- Counsel the doubtful.
- Bear wrongs patiently.
- Forgive injuries.
- Pray for the living and the dead.

Corporal Works of Mercy

- Feed the hungry.
- Give drink to the thirsty.
- Clothe the naked.
- Shelter the homeless.
- Visit the sick.
- Visit the imprisoned.
- Bury the dead.

The Great Commandment

You shall love the Lord, your God, with all your heart, with all your soul, and with all your mind. You shall love your neighbor as yourself.

Celebramos

Los Sacramentos

Los Siete Sacramentos son signos externos que celebran el amor, la vida o la gracia de Dios. Los Sacramentos comunican y comparten la vida de Dios por el don de la gracia. Por medio de los Sacramentos, das culto y alabanza a Dios, creces en santidad, trabajas para construir el Reino de Dios en la Tierra y fortaleces la unidad del Pueblo de Dios.

La Iniciación Cristiana se realiza mediante el conjunto de tres Sacramentos: el Bautismo que es el comienzo de una nueva vida en Cristo; la Confirmación que es su fortalecimiento; y la Eucaristía que te nutre con el Cuerpo y la Sangre de Cristo para asemejarte más a Jesús. La Penitencia y la Reconciliación y la Unción de los Enfermos son Sacramentos de Curación. El Orden Sagrado y el Matrimonio son Sacramentos al Servicio de la Comunidad.

El Bautismo

Te libera del Pecado Original y de todos los pecados. Recibes la nueva vida de gracia, por medio de la cual te conviertes en hija o hijo adoptivo de Dios, unido con Cristo en el Espíritu Santo, y te conviertes en miembro de la Iglesia. El Bautismo imprime en el alma del cristiano un signo espiritual indeleble que te consagra a Cristo. El Bautismo se recibe sólo una vez.

La Confirmación

El don del Espíritu Santo te fortalece para vivir como Jesús lo hizo. Como en el Bautismo, la Confirmación imprime en el alma un signo espiritual como señal de la presencia del Espíritu Santo. El Espíritu Santo te ayudará en palabra y obra para dar testimonio de Cristo.

La Eucaristía

En la Eucaristía, Cristo está verdaderamente presente en el pan y vino consagrados. Para recibir la comunión debes estar en estado de gracia. Se recomienda que recibas la comunión todas las veces que vayas a Misa.

Sacraments

The Seven Sacraments are outward signs and celebrations of God's love and life, or grace. The Sacraments communicate and share God's life as the gift of grace. Through the Sacraments you give worship and praise to God, grow in holiness, work to build up God's reign on Earth, and strengthen the unity of God's people.

Christian initiation happens in three Sacraments together: Baptism, which is the beginning of new life in Christ; Confirmation, which is its strengthening; and Eucharist, which nourishes you with Christ's Body and Blood to become more like Jesus. Penance and Reconciliation and the Anointing of the Sick are the Sacraments of Healing. Holy Orders and Matrimony are the Sacraments at the Service of Communion.

Baptism

You are freed from Original Sin and from all sin. You are given the new life of grace by which you become an adopted child of God, one with Christ in the Holy Spirit, and a member of the Church. Baptism imprints a spiritual mark on your soul that claims you for Christ. Baptism can only be received once.

Confirmation

The gift of the Holy Spirit strengthens you to live as Jesus did. As in Baptism, your soul is imprinted with a spiritual mark as a sign of the Holy Spirit's presence. The Holy Spirit will help you by word and action to witness to Christ.

Eucharist

In Eucharist Christ is truly present in the consecrated bread and wine. To receive Holy Communion you must be in the state of grace. You are encouraged to receive Holy Communion every time you go to Mass.

La Penitencia y la Reconciliación

Cuando te arrepientes de tus pecados, Dios te ofrece el perdón y la paz por medio de las palabras y acciones del sacerdote.

La Unción de los Enfermos

Un sacerdote unge a una persona que está enferma o a un anciano y ofrece el alivio de Dios, consuelo y perdón.

El Orden Sagrado

La Iglesia ordena a los diáconos, sacerdotes y obispos a enseñar, dirigir, celebrar, guiar y servir al Pueblo de Dios.

El Matrimonio

Un hombre y una mujer prometen vivir toda su vida como esposo y esposa y se convierten en signo del amor de Dios.

Penance and Reconciliation

When you are sorry for your sins, God offers you pardon and peace through the words and actions of a priest.

Anointing of the Sick

A priest anoints a person who is sick or elderly and offers God's healing comfort and forgiveness.

Holy Orders

The Church ordains deacons, priests, and bishops to teach, to lead, to celebrate, to guide, and to serve the People of God.

Matrimony

A man and a woman promise to live their whole lives as husband and wife, and become a sign of God's love.

La celebración de la Eucaristía

Llegada la hora, Jesús se sentó a la mesa con sus apóstoles y les dijo: "Yo tenía gran deseo de comer esta Pascua con ustedes antes de padecer. Porque les digo que ya no la volveré a comer hasta que sea la nueva y perfecta Pascua en el Reino de Dios".

Después tomó pan y, dando gracias, lo partió y se los dio, diciendo: "Esto es mi cuerpo, que es entregado por ustedes. Hagan esto en memoria mía". Hizo lo mismo con la copa después de la Cena, diciendo: "Esta copa es la alianza nueva sellada con mi sangre, que es derramada por ustedes". Lucas 22:14-16, 19-20

En la Misa, los seguidores de Jesús en todo el mundo se reúnen para dar culto, alabar a Dios y para recordar las acciones de Jesús en la Última Cena. Escuchan y aprenden de la lectura de la Palabra viva de Dios.

Los católicos recuerdan y vuelven a vivir el gran amor de Jesús quien dio su vida por todas las personas. Comparten en ese amor al recibir el Cuerpo y la Sangre de Cristo en la Sagrada Comunión. Finalmente, vuelven a sus hogares en paz, sabiendo que están llamados a amar y servir a los demás.

Ritos iniciales

Al comienzo de la Misa, el Pueblo de Dios se reúne con Cristo y unos con otros. Nos preparamos para dar culto a Dios.

Procesión de entrada

Nos ponemos de pie mientras el sacerdote y los otros ministros entran en procesión a la asamblea. Nos unimos a ellos en el canto de entrada.

Saludo

Sacerdote: En el nombre del Padre y del Hijo y del Espíritu Santo.

Asamblea: Amén.

Sacerdote: La gracia de nuestro Señor Jesucristo, el amor del Padre y la comunión del Espíritu Santo esté con todos ustedes.

Asamblea: Y con tu espíritu.

The Celebration of the Eucharist

When the hour came, [Jesus] took his place at table with the apostles. He said to them, "I have eagerly [wanted] to eat this Passover with you before I suffer for, I tell you, I shall not eat it [again] until there is fulfillment in the kingdom of God."

Then [Jesus] took the bread, said the blessing, broke it, and gave it to them, saying, "This is my body, which will be given for you; do this in memory of me." [In the same way, he took] the cup after they had eaten, saying, "This cup is the new covenant in my blood, which will be shed for you." Luke 22:14-16, 19-20

At Mass, followers of Jesus all around the world come to worship and praise God, and to remember the actions of Jesus at the Last Supper. They listen to and learn from the reading of God's living Word.

They remember and relive the great love of Jesus, who gave up his life for all people. They share in that love by receiving the Body and Blood of Christ in Holy Communion. Finally, they go to their homes in peace, knowing that they are called to glorify the Lord by their lives.

Introductory Rites

At the beginning of Mass, the People of God are gathered with Christ and with one another. We prepare to worship God.

Entrance Procession

We stand as the priest and other ministers process into the assembly. We join in singing an entrance song.

Greeting

Priest: In the name of the Father, and of the Son, and of the Holy Spirit.

People: Amen.

Priest: The grace of our Lord Jesus Christ, and the love of God, and the communion of the Holy Spirit be with you all.

People: And with your spirit.

Acto penitencial

Hermanos: antes de celebrar los sagrados misterios reconozcamos nuestros pecados.

Sacerdote: Señor, ten piedad.

Asamblea: Señor, ten piedad.

Sacerdote: Cristo, ten piedad.

Asamblea: Cristo, ten piedad.

Sacerdote: Señor, ten piedad.

Asamblea: Señor, ten piedad.

Gloria

La mayoría de los domingos rezamos el Gloria, un himno de alabanza.

**Gloria a Dios en el cielo,
y en la tierra paz a los hombres
que ama el Señor.**

**Por tú inmensa gloria, te alabamos,
te bendecimos, te adoramos,
te glorificamos, te damos gracias.**

**Señor Dios, Rey celestial, Dios Padre
todopoderoso;**

Señor, Hijo único, Jesucristo;

Señor Dios, Cordero de Dios, Hijo del Padre;

**tú que quitas el pecado del mundo, ten piedad
de nosotros;**

**tú que quitas el pecado del mundo, atiende
nuestra súplica;**

**tú que estás sentado a la derecha del Padre, ten
piedad de nosotros: porque sólo tú eres Santo,
sólo tú Señor,
sólo tú Altísimo, Jesucristo, con el Espíritu
Santo**

en la gloria de Dios Padre. Amén.

Oración

Guardamos silencio por unos momento para elevar el corazón y la mente a Dios. Después el sacerdote dirige la oración.

Sacerdote: Oremos.

Asamblea: Amén.

Penitential Act

We praise God for his mercy.

Priest: Lord, have mercy.
People: Lord, have mercy.

Priest: Christ, have mercy.
People: Christ, have mercy.

Priest: Lord, have mercy.
People: Lord, have mercy.

Gloria

On most Sundays we pray the Gloria,
a hymn of praise.

**Glory to God in the highest,
and on earth peace to people of good will.**

**We praise you, we bless you,
we adore you, we glorify you,
we give thanks for your great glory,
Lord God, heavenly King,
O God, almighty Father.**

**Lord Jesus Christ, Only Begotten Son,
Lord God, Lamb of God, Son of the Father,
you take away the sins of the world,
    have mercy on us;
you take away the sins of the world,
    receive our prayer;
you are seated at the right hand of the Father,
    have mercy on us.**

**For you alone are the Holy One,
you alone are the Lord,
you alone are the Most High,
Jesus Christ,
with the Holy Spirit,
in the glory of God the Father.**

Amen.

Collect

We observe a moment of silence and lift up our hearts and minds to God. The priest leads us in prayer.

Priest: Let us pray.
People: Amen.

151

Liturgia de la Palabra

Escuchamos la Palabra de Dios.

Primera lectura

Esta lectura es tomada del Antiguo Testamento o, durante el tiempo de Pascua, de los Hechos de los Apóstoles. Acabada la lectura, el lector dice:

Lector: Palabra de Dios.

Asamblea: Te alabamos, Señor.

Salmo Responsorial

El cantor nos guía para cantar un salmo.

Segunda lectura

La Segunda Lectura es tomada de las cartas del Nuevo Testamento o los Hechos de los Apóstoles. Para señalar el final de la lectura, el lector dice:

Lector: Palabra de Dios.

Asamblea: Te alabamos, Señor.

Aleluya o aclamación antes del Evangelio

Al cantar el aleluya mostramos reverencia por Jesús, la Palabra de Dios. Nos ponemos de pie para mostrar que creemos que Jesús está con nosotros en el Evangelio. Durante la Cuaresma no cantamos el Aleluya. Cantamos un verso distinto de la Escritura tomado de la lectura del Evangelio.

Evangelio

Sacerdote o diácono:
        El Señor esté con ustedes.

Asamblea: Y con tu espíritu.

Sacerdote o diácono:
        Lectura del Santo Evangelio según (nombre del escritor del Evangelio).

Asamblea: Gloria a ti, Señor.

Acabado el Evangelio, él dice:
        Palabra del Señor.

Asamblea: Gloria a ti, Señor Jesús.

Homilía

El sacerdote o diácono ayuda a la comunidad a entender y a vivir la Escritura que ha sido proclamada.

Profesión de fe

Nos ponemos de pie y profesamos nuestra fe. Rezamos el Credo de Nicea. (Véase página 172.) Cuando rezamos el Credo estamos diciendo que creemos.

Oración de los Fieles

Oramos por las necesidades de la Iglesia, por los líderes, por la Salvación del mundo y por las necesidades de la gente. Después de cada petición se puede responder:

Asamblea: Señor, escucha nuestra oración.

Liturgy of the Word

We listen to the Word of God.

First Reading

This reading is taken from the Old Testament or, during the Easter season, from the Acts of the Apostles. At the end of the reading the lector says:

Lector: The word of the Lord.

People: Thanks be to God.

Responsorial Psalm

The cantor leads us in singing a psalm.

Second Reading

The Second Reading is taken from the letters in the New Testament or from the Acts of the Apostles. At the end of the reading the lector says:

Lector: The word of the Lord.

People: Thanks be to God.

Alleluia or Gospel Acclamation

As we sing the Alleluia we show reverence for Jesus, the Word of God. We stand to show that we believe Jesus is with us in the Gospel. During Lent we do not sing the Alleluia. We sing a different acclamation.

Gospel

Priest or deacon:
The Lord be with you.

People: And with your spirit.

Priest or deacon:
A reading from the holy Gospel according to (name of the Gospel writer).

People: Glory to you, O Lord.

Priest or deacon (at the end of the Gospel):
The Gospel of the Lord.

People: Praise to you, Lord Jesus Christ.

Homily

The priest or deacon helps the community to understand and live the Scripture that has been proclaimed.

Profession of Faith

We stand and profess our faith. We usually pray the Nicene Creed (see page 89). When we pray the creed we are saying what we believe.

Prayer of the Faithful

We pray for the needs of the Church, for public leaders, for the Salvation of the world, and for the needs of people. After each petition we might respond:

People: Lord, hear our prayer.

Liturgia Eucarística

Damos gracias y alabanza.

Preparación del altar y las ofrendas

Nos sentamos mientras llevan las ofrendas del pan y vino y se prepara el altar.

El sacerdote eleva el pan y dice:

Sacerdote: Bendito seas, Señor, Dios del universo, por este pan, fruto de la tierra y del trabajo del hombre que recibimos de tu generosidad y ahora te presentamos: él será para nosotros pan de vida.

Asamblea: Bendito seas por siempre, Señor.

El sacerdote eleva el cáliz con el vino y dice:

Sacerdote: Bendito seas, Señor Dios del universo, por este vino, fruto de la vid y del trabajo del hombre, que recibimos de tu generosidad y ahora te presentamos: él será para nosotros bebida de salvación.

Asamblea: Bendito seas por siempre, Señor.

Sacerdote: Orad, hermanos y hermanas, para que este sacrificio, mío y de ustedes sea agradable a Dios, Padre todopoderoso.

Nos ponemos de pie para rezar la sigiente oración:

Asamblea: El Señor reciba de tus manos este sacrificio para alabanza y gloria de su nombre, para nuestro bien y el de toda su santa Iglesia.

Oración sobre las ofrendas

El sacerdote dice la oración sobre las ofrendas.

El pueblo: Amén.

Plegaria Eucarística

El sacerdote nos invita a dar gracias y alabar a Dios.

Sacerdote: El señor esté con ustedes.

Asamblea: Y con tu espíritu.

Sacerdote: Levantemos el corazón.

Asamblea: Lo tenemos levantado hacia el Señor.

Sacerdote: Demos gracias al Señor, nuestro Dios.

Asamblea: Es justo y necesario.

Después de que el sacerdote dice el prefacio, una oración que da una razón especial para alabar a Dios, nos unimos para recitar o cantar la aclamación.

Todos: Santo, Santo, Santo es el Señor, Dios del universo, llenos están el cielo y la tierra de tu gloria. Hosanna en el cielo. Bendito el que viene en nombre del Señor. Hosanna en el cielo.

Liturgy of the Eucharist

We give thanks and praise.

Preparation of the Altar and Gifts

We sit as the gifts of bread and wine are brought up and the altar is prepared.

The priest lifts up the bread and says:

Priest: Blessed are you,
   Lord God of all creation,
   for through your goodness
      we have received
   the bread we offer you:
   fruit of the earth and
      work of human hands,
   it will become for us the bread of life.

People: Blessed be God for ever.

The priest lifts up the chalice of wine and prays:

Priest: Blessed are you,
   Lord God of all creation.
   for through your goodness
      we have received
   the wine we offer you:
   fruit of the vine and
      work of human hands,
   it will become our spiritual drink.

People: Blessed be God for ever.

Priest: Pray, brethren (brothers and sisters),
   that my sacrifice and yours
   may be acceptable to God,
   the almighty Father.

We stand to say the following prayer.

**People: May the Lord accept the sacrifice
   at your hands
   for the praise and glory of his name,
   for our good
   and the good of all his holy Church.**

Prayer over the Offerings

The priest says the Prayer over the Offerings.

People: Amen.

Eucharistic Prayer

The priest invites us to give thanks and praise.

Priest: The Lord be with you.

People: And with your spirit.

Priest: Lift up your hearts.

People: We lift them up to the Lord.

Priest: Let us give thanks to the Lord our God.

People: It is right and just.

After the priest says the Preface, a prayer that gives a special reason for praising God, we join in saying or singing the acclamation.

**All: Holy, Holy, Holy Lord God
   of hosts.
   Heaven and earth are full
      of your glory.
   Hosanna in the highest.
   Blessed is he who comes
      in the name of the Lord.
   Hosanna in the highest.**

Al "Santo, Santo, Santo" le sigue una oración pidiendo que el poder del Espíritu Santo santifique las ofrendas, para que se conviertan en el Cuerpo y la Sangre de Cristo y para que aquéllos que reciban estas ofrendas se transformen en un Cuerpo en un Espíritu en Cristo.

En la consagración, el pan y el vino se convierten en el Cuerpo y la Sangre de Cristo por el poder del Espíritu Santo y las palabras del sacerdote. Jesús está verdaderamente presente en el pan y el vino que recibimos en la comunión.

Después de la consagración, oramos o cantamos la aclamación de después de la consagración.

Sacerdote: Este es el sacramento de nuestra fe.

Asamblea: **Anunciamos tu muerte, proclamamos tu resurrección. ¡Ven, Señor Jesús!**

El sacerdote ora por la Iglesia y por los vivos y los difuntos y para que algún día todos nos reunamos en el cielo. La doxología concluye la Plegaria Eucarística.

Sacerdote: Por Cristo, con él y en él, a ti, Dios Padre omnipotente, en la unidad del Espíritu Santo, todo honor y toda Gloria, por los siglos de los siglos.

Asamblea: Amén.

La Plegaria Eucarística termina con un "Amén" de todo corazón, un "así sea" o un "sí" a todo lo que hacemos nuestro de la Plegaria Eucarística.

Rito de comunión

La Oración del Señor

Mientras que nos preparamos a recibir el Cuerpo y la Sangre del Señor, se nos invita a decir el Padre Nuestro. (Véase página 172.)

El signo de la paz

Oramos por la paz y la unidad de la Iglesia y de todo el mundo.

Sacerdote o diácono:
La paz del Señor esté siempre con ustedes.

Asamblea: Y con tu espíritu.

Sacerdote o diácono:
Démonos fraternalmente la paz.

La fracción del pan

En la Última Cena, Jesús partió el pan y se lo dio a sus discípulos. El sacerdote parte la hostia consagrada para que sea compartida. Mientras él parte el pan, nosotros decimos o cantamos:

Cordero de Dios, que quitas el pecado del mundo, ten piedad de nosotros.

Cordero de Dios, que quitas el pecado del mundo, ten piedad de nosotros.

Cordero de Dios que quitas el pecado del mundo, danos la paz.

The "Holy, Holy, Holy" is followed by a prayer asking that the power of the Holy Spirit might come upon the gifts and make them holy, that is, become the Body and Blood of Christ, and that those who receive these gifts might be gathered into one by the Holy Spirit.

At the consecration the bread and wine become the Body and Blood of the Lord through the power of the Holy Spirit and the words of the priest. Jesus is truly present in the bread and wine that we receive at Communion.

After the consecration, we pray or sing the Memorial Acclamation.

Priest: The mystery of faith.

People: We proclaim your Death, O Lord, and profess your Resurrection until you come again.

The priest prays for the Church and for the living and the dead and that one day we will live in Heaven. The doxology concludes the Eucharistic Prayer.

Priest: Through him, and with him, and in him, O God, almighty Father, in the unity of the Holy Spirit, all glory and honor is yours, for ever and ever.

People: Amen.

The Eucharistic Prayer ends with a great "Amen," a "so be it" or a "yes" to all of the Eucharistic Prayers that we make our own.

Communion Rite

The Lord's Prayer

As we prepare ourselves to receive the Body and Blood of the Lord, we are invited to say the Lord's Prayer (see page 173).

Sign of Peace

We pray for peace and unity for the Church and the whole world.

Priest or deacon:
The peace of the Lord be with you always.

People: And with your spirit.

Priest or deacon:
Let us offer each other the sign of peace.

Breaking of the Bread

At the Last Supper, Jesus broke the bread and gave it to his disciples. The priest breaks the consecrated host so it can be shared. While he is breaking the host, we say or sing:

Lamb of God, you take away the sins of the world, have mercy on us.

Lamb of God, you take away the sins of the world, have mercy on us.

Lamb of God, you take away the sins of the world, grant us peace.

Comunión

El sacerdote eleva la hostia consagrado y proclama:

Sacerdote: Éste es el Cordero de Dios que quita el pecado del mundo. Dichosos los llamados a esta cena.

Asamblea: Señor, no soy digno de que entres en mi casa, pero una palabra tuya bastará para sanarme.

El sacerdote recibe la Sagrada Comunión. Nosotros nos acercamos al altar para recibir el Cuerpo y la Sangre de Cristo.

Sacerdote: El Cuerpo de Cristo.

Asamblea: Amén.

Recibimos la hostia consagrada en nuestra mano o en nuestra lengua.

Sacerdote: La Sangre de Cristo.

Asamblea: Amén.

Bebemos un poco del vino consagrado.

Oración después de la comunión

Nos ponemos de pie mientras el sacerdote nos guía en una oración.

Sacerdote: Oremos.

Asamblea: Amén.

Rito de conclusión

Sacerdote: El Señor esté con ustedes.

Asamblea: Y con tu espíritu.

Bendición

Sacerdote: La bendición de Dios todopoderoso, Padre, Hijo y Espíritu Santo, descienda sobre ustedes.

Asamblea: Amén.

Despedida

Terminada la Misa, somos enviados a ayudar a los demás como lo hizo Jesús.

Sacerdote o diácono: La Misa ha terminado. Pueden ir en paz para amar y servir al Señor.

Asamblea: Demos gracias a Dios.

El sacerdote besa el altar como signo de reverencia porque la mesa es santa y sagrada por la acción de la asamblea reunida. Él y los otros ministros salen en procesión mientras cantamos un canto de despedida.

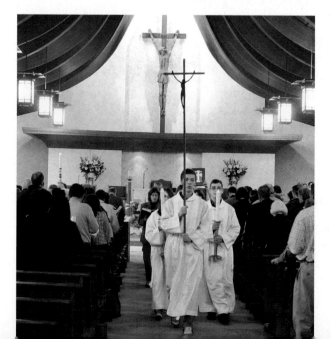

Communion

The priest raises the consecrated host and proclaims:

Priest: Behold the Lamb of God,
        behold him who takes away the sins of the world.
        Blessed are those called to the supper of the Lamb.

**People: Lord, I am not worthy
that you should enter under my roof,
but only say the word
and my soul shall be healed.**

The priest receives Holy Communion.
We process up the aisle to receive the Body and Blood of Christ.

Priest, deacon, or Eucharist minister:
        The Body of Christ.
People: Amen.

We receive the consecrated host in our hand or on our tongue.

Priest, deacon, or Eucharist minister:
        The Blood of Christ.
People: Amen.

We take a sip from the cup.

Prayer after Communion

We stand as the priest leads us in prayer.

Priest: Let us pray.
People: Amen.

Concluding Rites

Priest: The Lord be with you.
People: And with your spirit.

Blessing

Priest: May almighty God bless you, the Father, and the Son, and the Holy Spirit.
People: Amen.

Dismissal

At the conclusion of Mass we are sent out to help others as Jesus did.

Priest or deacon:
        Go and announce the Gospel of the Lord.
People: Thanks be to God.

The priest kisses the altar as a sign of reverence. He and the other ministers process out of the church while we sing a concluding hymn.

La Eucaristía

■ La Eucaristía es el centro de la vida de la Iglesia.

■ El pan y el vino consagrados son verdaderamente el Cuerpo y la Sangre de Cristo.

■ Jesús nos dio la Eucaristía en la Última Cena.

■ Para recibir la sagrada Comunión dignamente, debes de estar libre de pecado mortal.

■ Se recomienda que los católicos reciban la Eucaristía todas la veces que vayan a Misa. Los católicos tienen la obligación de recibir la Eucaristía por lo menos una vez al año durante el tiempo de la Pascua.

■ Los católicos ayunan de todo alimento o bebida (excepto agua o medicina) por un periodo de una hora antes de recibir la Comunión.

Eucharist

- Eucharist is at the heart of the life of the Church.

- The consecrated bread and wine are truly the Body and Blood of Christ.

- Jesus gave us the Eucharist at his Last Supper.

- In order to receive Holy Communion worthily, you must be free from mortal sin.

- Catholics are encouraged to receive Eucharist every time they go to Mass. Catholics are required to receive Eucharist at least once a year during the Easter season.

- Catholics fast from food and drink (except water or medicine) for one hour before receiving Holy Communion.

Cómo recibir la Eucaristía

Hay diferentes maneras de recibir la Sagrada Comunión: con la mano, con la lengua y de la copa.

Si decides recibir la Sagrada Comunión con la mano:

- Inclina un poco la cabeza, extiende las dos manos, palmas hacia arriba, una mano descansando sobre la otra.
- El sacerdote, diácono, o el ministro de la Eucaristía dice: El Cuerpo de Cristo y pone la hostia consagrada en tu mano. Tú respondes: **Amén**.
- Hazte a un lado y usando la mano que está abajo, toma la Hostia con tus dedos, ponla en tu boca y cómela.

Si decides recibir la Sagrada Comunión en tu lengua:

- Junta las manos en oración. Inclina un poco la cabeza.
- El sacerdote, diácono, o ministro de la Eucaristía dice: El Cuerpo de Cristo. Tú respondes: **Amén**.
- Abre tu boca y saca la lengua afuera para recibir la Hostia y cómela.

Tú también podrías recibir la Sangre de Cristo de la copa.

- Después de haber recibido el Cuerpo de Cristo, acércate al sacerdote o ministro de la Eucaristía que está ofreciendo la copa.
- El sacerdote, diácono, o ministro de la Eucaristía dirá: La Sangre de Cristo. Tú respondes: **Amén**.
- Toma la copa de vino consagrado con las dos manos, y bebe un poquito. Devuelve la copa al ministro.

Después de recibir la Comunión, regresa a tu lugar y arrodíllate o siéntate en silencio por unos minutos dando gracias a Dios.

How to Receive Eucharist

There are different ways to receive Holy Communion—in your hand, on your tongue, and from the cup.

If you choose to receive Holy Communion in your hand:

- Bow, hold out both hands, palms up, with one hand resting on top of the other.
- The priest, deacon, or Eucharistic minister says, "The Body of Christ," and places the consecrated host in your hand. You answer, **"Amen."**
- Step to one side. Using the hand that is underneath, take the host in your fingers and place it in your mouth. Swallow the consecrated host.

If you choose to receive Holy Communion on your tongue:

- Fold your hands in prayer. Bow.
- The priest, deacon, or Eucharistic minister says, "The Body of Christ." You answer **"Amen."**
- Open your mouth and put your tongue out to receive the host. Swallow the consecrated host.

You may also receive the Blood of Christ from the cup.

- After you have received the Body of Christ, go to the priest, deacon, or Eucharistic minister who is offering the cup.
- The priest, deacon, or Eucharistic minister will say, "The Blood of Christ." You answer, **"Amen."**
- Take the cup of consecrated wine in both hands and take a small sip. Return the cup to the minister.

After receiving Communion, return to your place and kneel or stand. Join in singing the Communion hymn. After everyone has received Communion, and after the Communion hymn is finished, kneel or sit quietly for a few minutes, giving thanks to God.

La Penitencia y la Reconciliación

Hay dos maneras de celebrar el Sacramento de la Penitencia y la Reconciliación: de un solo penitente o de varios penitentes.

Los pasos para la confesión de un solo penitente son lo siguiente:

1. **Saludo**
   - El sacerdote nos saluda y nosotros hacemos la Señal de la Cruz.
   - El sacerdote dice estas palabras o otras similares:
     Dios, que ha iluminado nuestros corazones, te conceda un verdadero conocimiento de tus pecados y de su misericordia. Amén.

2. **Lectura de la Palabra de Dios.**
   El sacerdote, si lo juzga oportuno, lee algún texto de la Biblia.

3. **Confesión de los pecados y aceptación de la penitencia**
   - Contamos nuestros pecados al sacerdote. Tenemos la obligación de confesar los pecados mortales. También podemos confesar los pecados veniales.
   - Después de confesar nuestros pecados, el sacerdote nos habla y nos da consejo. Luego nos da la penitencia. Una penitencia es algo que hacemos para mostrar que estamos arrepentidos y que queremos reparar el daño hecho causado por nuestros pecados.

4. **Oración de contrición y absolución**
   - El sacerdote nos pide que recemos el acto de contrición para decir que estamos arrepentidos de nuestros pecados.
   - El sacerdote nos da la absolución extendiendo las manos sobre nuestra cabeza y diciendo:
     Dios, Padre misericordioso, que reconcilió consigo al mundo por la muerte y la Resurrección de su Hijo y derramó el Espíritu Santo para la remisión de los pecados, te conceda, por el ministerio de la Iglesia, el perdón y la paz.

     El sacerdote hace la Señal de la Cruz sobre nuestra cabeza mientras dice:

     Y yo te absuelvo de tus pecados en el nombre del Padre y del Hijo y del Espíritu Santo.

     Hacemos la Señal de la Cruz y decimos: **Amén**.

5. **Acción de gracias y despedida del penitente**
   - Después de la absolución, el sacerdote continúa: Dad gracias al Señor, porque es bueno.
   - Nosotros respondemos: **Porque es eterna su misericordia.**
   - El sacerdote se despide diciendo: El Señor ha perdonado tus pecados. Vete en paz.

Penance and Reconciliation

There are two ways we can celebrate the Sacrament of Penance and Reconciliation—individually or communally.

The following are the steps for individual confession.

1. **Greeting**
   - ■ The priest greets us and we make the Sign of the Cross.
   - ■ The priest may say these or similar words:
     May God, who has enlightened every heart, help you to know your sins and trust in his mercy. Amen.

2. **Reading of the Word of God**
   The priest may read a passage from the Bible.

3. **Confession of Sins and Acceptance of Penance**
   - ■ We tell our sins to the priest. We must confess mortal sins. We may also confess venial sins.
   - ■ After we confess our sins, the priest may talk to us and advise us. Then he gives us our penance. A penance is something we do to show we are sorry and that we want to make up for our sins.

4. **Prayer of the Penitent and Absolution**
   - ■ The priest asks us to pray the Act of Contrition to say we are sorry for our sins.
   - ■ The priest gives absolution by extending his hands over our head and saying:

     God, the Father of mercies,
     through the death and Resurrection
       of his Son
     has reconciled the world to himself
     and sent the Holy Spirit among us
     for the forgiveness of sins;
     through the ministry of the Church
     may God give you pardon and
       peace,

     The priest makes the Sign of the Cross over our head as he says:
     and I absolve you from your sins
     in the name of the Father,
     and of the Son,
     and of the Holy Spirit.

   - ■ We make the Sign of the Cross and say, **"Amen."**

5. **Proclamation of Praise of God and Dismissal**
   - ■ After the absolution, the priest continues: Give thanks to the Lord, for he is good.
   - ■ We respond: **His mercy endures for ever.**
   - ■ The priest sends us forth saying: The Lord has freed you from your sins. Go in peace.

Vivimos

La Ley de Dios

A veces puede ser difícil elegir hacer lo correcto. Las normas te ayudan a permanecer por el buen camino. Las buenas normas te ayudan a cuidarte: por dentro y por fuera. Las normas ayudan a todos a hacer elecciones que llevan a una vida más sana y más feliz.

Buenos consejos

Sigue los consejos de abajo para vivir una vida justa y hacer buenas elecciones.

• Conoce tus opciones.

• Descansa tu mente un poco y ora.

• Modérate: no elijas apuradamente.

• Detente y piensa en las consecuencias.

• Espera hasta estar bien seguro.

• Pon tu conciencia en acción.

• Considéralo calmadamente.

• Pregunta lo que haría Jesús.

• Repasa toda la información y pide ayuda a una persona de confianza.

• Luego, haz una buena elección, siguiendo tu conciencia.

Los Diez Mandamientos

Éstas son las diez normas para ser fiel a Dios. Obedecer los Mandamientos provee un camino despejado para ti. Los Diez Mandamientos te ayudan a vivir tu relación de alianza con Dios.

1. Yo soy el Señor, tú Dios. No tengas otros dioses fuera de mí.

2. No tomes el nombre del Señor, tu Dios, en vano.

3. Acuérdate del domingo, día de descanso sabático, para santificarlo (el Día del Señor)

4. Respeta a tu padre y a tu madre.

5. No mates.

6. No cometas adulterio.

7. No robes.

8. No des falso testimonio contra tu prójimo.

9. No codicies la mujer de tu prójimo.

10. No codicies nada de lo que le pertenece a tu prójimo.

Los preceptos de la Iglesia

La Iglesia tiene mandamientos que nos ayudan a vivir el Evangelio. Nos dicen a los católicos cómo demostrar amor a Dios y al prójimo.

1. Oír misa entera los domingos y demás fiestas de precepto y no realizar trabajos que no sean necesarios.

2. Confesar los pecados al menos una vez al año.

3. Recibir el sacramento de la Eucaristía al menos por Pascua.

4. Abstenerse de comer carne y ayunar en los días establecidos por la Iglesia.

5. Ayudar a la Iglesia en sus necesidades.

The Ten Commandments

These are ten rules for being faithful to God. Following the Commandments provides a clear path for you. The Ten Commandments help you live out your covenant relationship with God.

1. I am the LORD, your God. You shall not have other gods besides me.

2. You shall not take the name of the LORD, your God, in vain.

3. Remember to keep holy the Sabbath day (LORD's Day).

4. Honor your father and your mother.

5. You shall not kill.

6. You shall not commit adultery.

7. You shall not steal.

8. You shall not bear false witness against your neighbor.

9. You shall not covet your neighbor's wife.

10. You shall not covet anything that belongs to your neighbor.

The Precepts of the Church

The Church has rules that help us live the Gospel. They tell Catholics how to show love for God and for others.

1. You shall attend Mass on Sundays and on holy days of obligation. Do no unnecessary work on Sunday.

2. Receive the Sacrament of Penance and Reconciliation once a year.

3. Receive the Eucharist (Holy Communion) at least once during the Easter season.

4. Do penance (fasting and abstinence) on the appointed days.

5. Contribute to the support of the Church.

God's Law

Sometimes it can be hard to choose the right thing to do. Rules can help you to stay on the right track. Good rules can help you take care of yourself—inside and out. Rules help everyone make choices that lead to happier and healthier lives.

Good Advice

Follow the advice below to avoid temptations and make good choices.

F igure out your choices.

R est your brain awhile, and pray.

E ase off—don't decide in a hurry.

S top and think about the consequences.

H old off until you are pretty sure.

S et your conscience into action.

T ake it slow and easy.

A sk what Jesus would do.

R eview all the facts and advice.

T hen make a right choice.

Las bienaventuranzas

Jesús utilizó las bienaventuranzas para enseñar a la gente lo que verdaderamente es importante en el Reino de Dios. Las bienaventuranzas muestran a las personas cómo deben vivir y que deberían atesorar para ser felices con Dios ahora y siempre.

Felices los que tienen el espíritu de pobre,
    porque de ellos es el Reino de los Cielos.
Felices los que lloran,
    porque recibirán consuelo.
Felices los pacientes,
    porque recibirán la tierra en herencia.
Felices los que tienen hambre y sed de justicia,
    porque serán saciados.
Felices los compasivos,

    porque obtendrán misericordia.
Felices los de corazón limpio,
    porque ellos verán a Dios.
Felices los que trabajan por la paz,
    porque serán reconocidos como hijos de Dios.
Felices los que son perseguidos por causa del bien,
    porque de ellos es el Reino de Dios.

MATEO 5:3–10

Cosas que se deben saber

1. ¿Qué es el pecado?

El pecado es la elección de hacer algo malo. En el pecado apartamos nuestro corazón del amor de Dios. No sólo daña nuestra relación con Dios sino también la de unos con otros.

Hay dos tipos de pecado: pecado venial y pecado mortal.

■ Un pecado venial es un pecado leve. Es cuando una persona no ha sido buena amiga de Dios y de la gente como Dios lo quiere.

■ Un pecado mortal es un pecado grave. La persona rompe completamente su relación con Dios. El pecado mortal debe confesarse en el Sacramento de la Penitencia y la Reconciliación.

2. ¿Qué es necesario para que algo sea un pecado mortal?

Es un pecado mortal si el acto es grave, la persona tiene pleno conocimiento de la maldad del acto y la persona elige hacerlo de todas maneras.

3. Hay que pedir perdón.

■ Cuando has hecho algo malo, pide a Dios que te perdone.

■ Si has cometido un pecado grave, celebra el Sacramento de la Penitencia y la Reconciliación.

Jesus used the Beatitudes to teach people what is truly important in God's kingdom. The Beatitudes show people how they should live and what they should treasure in order to be happy with God now and forever.

Blessed are the poor in spirit,
    for theirs is the kingdom of heaven.
Blessed are they who mourn,
    for they will be comforted.
Blessed are the meek,
    for they will inherit the land.
Blessed are they who hunger
      and thirst for righteousness,
    for they will be satisfied.

Blessed are the merciful,
    for they will be shown mercy.
Blessed are the clean of heart,
    for they will see God.
Blessed are the peacemakers,
    for they will be called children of God.
Blessed are they who are persecuted for
      the sake of righteousness,
    for theirs is the kingdom of heaven.

MATTHEW 5:3–10

Things to Know

1. What is sin?

Sin is making a choice to do something wrong. In sin we turn our hearts away from God's love. Sin not only hurts our relationship with God, but with one another.

There are two kinds of sin: venial and mortal.

■ A venial sin is a lesser sin. It is when a person is not being as good a friend to God and to people as God wants.

■ A mortal sin is a serious sin. The person completely breaks off his or her friendship with God. Mortal sin must be confessed in the Sacrament of Penance and Reconciliation.

2. What is necessary for something to be a mortal sin?

Something is a mortal sin if the act is seriously wrong, the person knows it is seriously wrong, and the person chooses to do it anyway.

3. Ask for forgiveness.

■ When you have done something wrong, ask God to forgive you.

■ If you have committed a serious sin, celebrate the Sacrament of Penance and Reconciliation.

Un examen de conciencia

Haces examen de conciencia para poder vivir como hijo de Dios. Reflexionas si estás viviendo como quiere Jesús que vivas. Pides la ayuda del Espíritu Santo para asemejarte más a Jesús. Reflexiona cómo actúas con respecto a:

Dios

¿Hablo con Dios todos los días?

¿Pronuncio el nombre de Dios sólo de manera piadosa?

¿Falté a misa de domingo por mi culpa?

¿Trato de confiar en Dios como Jesús lo hizo?

Conmigo mismo

¿Hago cosas que me ayudarán a madurar como Dios quiere?

¿Cuido de lo que tengo?

¿Cuido de las cosas de la Tierra?

¿Agradezco a Dios por los dones y talentos que Dios me ha dado?

Mi familia, mis amigos y demás personas

¿Hago mis tareas bien o me tienen que reclamar para hacerlas?

¿Trato de hacer lo mejor en la escuela?

¿Obedezco a mis padres y les demuestro respeto?

Cuando alguien me está cuidando y me pide que haga algo bueno, ¿obedezco?

¿Soy generoso? ¿Comparto lo que tengo con los demás, especialmente con los necesitados?

Cuando estoy enojado, ¿hablo sobre el problema? ¿O hago o digo cosas para lastimar a quienquiera que me haya lastimado?

¿Digo "Lo siento" a quien he lastimado y "Te perdono" a quien me ha lastimado?

¿Soy una persona justa? ¿O hice alguna vez trampa en la escuela, en el trabajo o en los juegos?

¿He tomado algo que no me pertenece?

¿Digo toda la verdad? ¿O dejo que la gente crea algo que no sea verdad?

¿Tengo celos de otras personas por lo que tienen?

An Examination of Conscience

You examine your conscience to help you live as a child of God.
You ask yourself if you are living as Jesus wants you to live.
You ask for the help of the Holy Spirit to be more like Jesus.
Ask yourself how you act toward:

God

Do I talk to God every day?

Do I say God's name only in a prayerful way?

Have I missed Mass on Sunday through my own fault?

Am I trying to trust God like Jesus did?

Myself

Do I do things that will help me grow as God wants?

Do I take care of what I have?

Do I care for the things of the earth?

Do I thank God for the gifts and talents God has given me?

My Family, My Friends, and Other People

Do I do my chores well, or do I have to be asked?

Do I try to do my best at school?

Do I obey my parents and show them respect?

When someone who is taking care of me asks me to do something good, do I obey?

Am I generous? Do I share what I have with others, especially those in need?

When I am angry, do I talk about it, or do I say or do things to hurt whoever hurt me?

Do I say I'm sorry to the person I have hurt, and I forgive you to the person who has hurt me?

Do I play fair, or do I ever cheat at school, work, or games?

Have I taken something that doesn't belong to me?

Do I tell the whole truth or do I let people believe something that isn't true?

Am I jealous of what other people have?

La Señal de la Cruz

En el nombre del Padre
y del Hijo y del Espíritu Santo.
Amén.

Padre Nuestro

Padre nuestro, que estás en el cielo,
santificado sea tu Nombre;
venga a nosotros tu Reino;
hágase tu voluntad en la tierra como
    en el cielo.
Danos hoy nuestro pan de cada día;
perdona nuestras ofensas,
como también nosotros
    perdonamos a los que nos ofenden;
no nos dejes caer en tentación,
y líbranos del mal.
Amén.

Ave Maria

Dios te salve María, llena eres de gracia,
el Señor es contigo;
bendita tú eres entre todas las mujeres,
y bendito es el fruto de tu
    vientre, Jesús.
Santa María, Madre de Dios,
ruega por nosotros pecadores,
ahora y en la hora de nuestra muerte.
Amén.

Gloria al Padre (Doxología)

Gloria al Padre y al Hijo
y al Espíritu Santo,
como era en un principio,
ahora y siempre,
por los siglos,
de los siglos. Amén.

Oración del Penitente

Dios mío, me arrepiento de todo corazón
de todo lo malo que hecho y de todo lo
bueno que he dejado de hacer, porque
pecando te he ofendido a ti, que eres el
sumo bien y digno de ser amado sobre
todas las cosas.
Propongo firmemente, con tu gracia,
cumplir la penitencia, no volver a pecar
y evitar las ocasiones de pecado.
Perdóname, Señor, por los méritos de
la pasión de nuestro salvador Jesucristo.
Amén.

Sign of the Cross

In the name of the Father,
and of the Son,
and of the Holy Spirit. Amen.

Our Father

Our Father, who art in heaven,
hallowed be thy name;
thy kingdom come,
thy will be done
 on earth as it is in heaven.
Give us this day our daily bread,
and forgive us our trespasses,
as we forgive those who trespass
 against us;
and lead us not into temptation,
 but deliver us from evil.
Amen.

The Hail Mary

Hail, Mary, full of grace,
the Lord is with thee.
Blessed art thou among women
and blessed is the fruit
 of thy womb, Jesus.
Holy Mary, Mother of God,
pray for us sinners,
now and at the hour of our death.
Amen.

Glory Be (Doxology)

Glory be to the Father
and to the Son
and to the Holy Spirit,
as it was in the beginning
is now, and ever shall be
world without end. Amen.

Act of Contrition

My God,
I am sorry for my sins with all my heart.
In choosing to do wrong and failing
 to do good,
I have sinned against you,
whom I should love above all things.
I firmly intend, with your help,
to do penance, to sin no more,
and to avoid whatever leads me to sin.
Our Savior Jesus Christ
suffered and died for us.
In his name, my God, have mercy.
Amen.

El Credo de Nicea

Creo en un solo Dios, Padre Todopoderoso, Creador del cielo y de la tierra, de todo lo visible y lo invisible.

Creo en un solo Señor, Jesucristo, Hijo único de Dios, nacido del Padre antes de todos los siglos: Dios de Dios, Luz de Luz, Dios verdadero de Dios verdadero, engendrado, no creado, de la misma naturaleza que el Padre, por quien todo fue hecho; que por nosotros, los hombres, y por nuestra salvación bajó del cielo, y por obra del Espíritu Santo se encarnó de María, la Virgen, y se hizo hombre; y por nuestra causa fue crucificado en tiempos de Poncio Pilato: padeció y fue sepultado, y resucitó al tercer día, según las Escrituras, y subió al cielo, y está sentado a la derecha del Padre; y de nuevo vendrá con gloria para juzgar a vivos y muertos, y su reino no tendrá fin.

Creo en el Espíritu Santo, Señor y dador de vida, que procede del Padre y del Hijo, que con el Padre y el Hijo recibe una misma adoración y gloria, y que habló por los profetas.

Creo en la Iglesia, que es una, santa, católica y apostólica.

Confieso que hay un solo Bautismo para el perdón de los pecados.

Esperò la resurrección de los muertos y la vida del mundo futuro. Amén.

Yo confieso

Yo confieso ante Dios todopoderoso y ante ustedes, hermanos, que he pecado mucho de pensamiento, palabra, obra y omisión.

Por mi culpa, por mi culpa, por mi gran culpa.

Por eso ruego a Santa María, siempre Virgen, a los ángeles, a los santos y a ustedes hermanos, que intercedan por mí ante Dios nuestro Señor.

Nicene Creed

I believe in one God,
the Father almighty,
maker of heaven and earth,
of all things visible and invisible.

I believe in one Lord Jesus Christ,
the Only Begotten Son of God,
born of the Father before all ages.
God from God, Light from Light,
true God from true God,
begotten, not made,
    consubstantial with the Father;
through him all things were made.
For us men and for our salvation
he came down from heaven,
and by the Holy Spirit was incarnate
    of the Virgin Mary,
and became man.

For our sake he was crucified under
    Pontius Pilate,
he suffered death and was buried,
and rose again on the third day
in accordance with the Scriptures.
He ascended into heaven
and is seated at the right hand of the Father.
He will come again in glory
to judge the living and the dead
and his kingdom will have no end.

I believe in the Holy Spirit, the Lord,
    the giver of life,
who proceeds from the Father and the Son,
who with the Father and the Son is adored
    and glorified,
who has spoken through the prophets.

I believe in one, holy, catholic and
    apostolic Church.
I confess one Baptism for the forgiveness
    of sins
and I look forward to the resurrection
    of the dead
and the life of the world to come. Amen.

Confiteor (Penitential Act)

I confess to almighty God
and to you, my brothers and sisters,
that I have greatly sinned,
in my thoughts and in my words,
in what I have done and in what I have
    failed to do,
through my fault, through my fault,
through my most grievous fault;
therefore I ask blessed Mary ever-Virgin,
all the Angels and Saints,
and you, my brothers and sisters,
to pray for me to the Lord our God.

Glosario

Aclamación después de la Consagración
En esta aclamación, recordamos la Muerte, Resurrección y la venida futura de Cristo.

bendición Acción divina que da vida. La obra entera de Dios es una bendición.

Católico La palabra significa *universal*. Los católicos siguen al Papa y comparten el Cuerpo y la Sangre de Jesús.

Consagración En la Consagración de la Misa, el pan y el vino se convierten en el Cuerpo y la Sangre de Cristo por medio de las palabras y acciones del sacerdote, y el poder del Espíritu Santo.

Cordero de Dios Oración que se reza antes de la Comunión. En esta oración, Jesús es el Cordero de Dios. Le pedimos que quite nuestros pecados para ser dignos de recibir la Comunión.

Credo Oración que dice lo que creemos. En la Misa, se reza el Credo de Nicea.

Cristiano Toda persona que cree en Jesús, está bautizada y trata de seguir las enseñanzas de Jesús.

Evangelio Los cuatro libros del Nuevo Testamento que relatan la historia de Jesús y sus enseñanzas. La palabra *evangelio* significa *buenas nuevas*.

gracia La propia vida de Dios en nosotros. La palabra significa *don*. La gracia nos ayuda a seguir a Jesús.

homilía Plática especial que da el sacerdote en la Misa. La homilía nos ayuda a aplicar las Escrituras en nuestra vida diaria.

Liturgia de la Palabra Parte de la Misa que incluya lecturas bíblicas, la homilía, el Credo y la oración de los fieles.

Liturgia Eucarística Parte de la Misa para recordar, dar, agradecer y participar en la vida, Muerte y Resurrección de Jesús.

misericordia El amor generoso que nos muestra Dios.

misión Llamado para hacer un trabajo o una tarea. La misión de la Iglesia es difundir la Palabra de Dios.

Oración del Señor La oración que Jesús enseñó a sus seguidores. Es el resumen de todo el Evangelio. Esta oración comienza "Padre nuestro".

Pecado Original Pecado de los primeros seres humanos que se transmite a todas las generaciones. La naturaleza humana fue herida por el primer pecado y despojada de la santidad y justicia original. El Pecado Original también describe la atracción que todos sienten a hacer las cosas que son erróneas.

Plegaria Eucarística La gran oración de acción de gracias y alabanza a Dios de la Iglesia. Durante la Plegaria Eucarística, el pan y el vino se convierten en el Cuerpo y la Sangre de Cristo.

procesión Simboliza el movimiento hacia Dios — movernos de la vida y las situaciones diarias hacia un espacio y un tiempo santos.

sacrificio Ofrecimiento hecho a Dios por el bien de alguien más. Jesús se sacrificó a sí mismo en la Cruz para liberarnos del pecado.

Sagrada Comunión Es el Cuerpo y la Sangre de Cristo en la Eucaristía.

Signo de la paz Gesto que se ofrece a otros durante la Misa que muestra que queremos ser uno con ellos.

Última Cena La comida de la Pascua que Jesús comió con sus discípulos la noche antes de morir.

Glossary

blessing A divine action that gives life. The whole of God's work is a blessing.

Catholic This word means *universal*. Catholics follow the Pope and share the Body and Blood of Christ.

Christian Everyone who believes in Jesus, is baptized, and tries to follow the teachings of Jesus.

Consecration At the consecration at Mass, the bread and wine become the Body and Blood of Christ through the words and actions of the priest, and the power of the Holy Spirit.

Creed A prayer that says what we believe. At Mass, the Nicene Creed is prayed.

Eucharistic Prayer The Church's great prayer of thanksgiving and praise to God. During the Eucharistic Prayer, the bread and wine become the Body and Blood of Christ.

grace God's own life within us. The word *grace* means *gift*. Grace helps us follow Jesus more closely.

Gospel The four books of the New Testament that tell the story of Jesus and his teachings. The word *gospel* means *good news*.

Holy Communion Receiving the Body and Blood of Christ in the Eucharist.

homily A special talk given by the priest at Mass. The homily helps us apply the Scriptures to our everyday life.

Lamb of God A prayer said before Communion at Mass. In this prayer, Jesus is the Lamb of God. We ask him to take away our sins and make us worthy to receive Holy Communion.

Last Supper The Passover meal Jesus ate with his disciples the night before he died.

Liturgy of the Word This part of the Mass includes Scripture readings, homily, Creed, and the Prayer of the Faithful.

Liturgy of the Eucharist The part of Mass for remembering, giving, thanking, and taking part in the life, Death, and Resurrection of Jesus.

Lord's Prayer The prayer Jesus taught his followers. It is truly the summary of the whole Gospel. This prayer begins with the words, "Our Father."

Memorial Acclamation In this acclamation, we remember the Death, Resurrection, and future coming of Christ.

mercy The loving kindness that God shows us.

mission The work or job you we called to do. The mission of the Church is to spread the Word of God.

Original Sin The sin of the first humans that is passed on to all generations. Human nature was wounded by the first sin and is deprived of original holiness and justice. Original Sin also describes the pull everyone feels toward doing things that are wrong.

procession Symbolizes moving toward God— moving from our everyday lives and situations into a sacred space and time.

sacrifice A gift to God for the sake of something else. Jesus sacrificed himself on the Cross to free us from sin.

Sign of Peace A gesture given to others at Mass that shows we want to be one with them.

Letra de las canciones/Music Lyrics

Psalm 100—Nosotros Somos Su Pueblo/We Are God's People

Refrain

Nosotros somos su pueblo.
We are God's people.
Y ovejas de su rebaño.
The flock of the Lord.

1. Make a joyful noise to the Lord,
   all the earth.
   Worship the Lord with gladness;
   come into the presence of the Lord
   with singing.

2. Know that the Lord is God,
   our maker to whom we belong.
   We are the people of God,
   the flock of the Lord.

Somos El Cuerpo De Cristo / We Are the Body of Christ

Refrain

Somos el cuerpo de Cristo.
We are the body of Christ.
Hemos oído el llamado;
We've answered "Yes," to the call of the Lord.
Somos el cuerpo de Cristo.
We are the body of Christ.
Traemos su santo mensaje.
We come to bring the good news to the world.

1. Cantor: *Dios viene al mundo a través de nosotros.*
   All: ***Somos el cuerpo de Cristo.***
   Cantor: God is revealed when we love one another.
   All: **We are the body of Christ.**
   Cantor: *Al mundo a cumplir la misión de la Iglesia,*
   All: ***Somos el cuerpo de Cristo.***
   Cantor: Bringing the light of God's mercy to others,
   All: **We are the body of Christ.**

2. Cantor: *Cada persona es parte del reino;*
   All: ***Somos el cuerpo de Cristo.***
   Cantor: Putting a stop to all discrimination,
   All: **We are the body of Christ.**
   Cantor: *Todas las razas que habitan la tierra,*
   All: ***Somos el cuerpo de Cristo.***
   Cantor: All are invited to feast in the banquet.
   All: **We are the body of Christ.**

Hear Our Prayer

Refrain

Hear our prayer,
hear our prayer.
Hear our prayer,
Lord, hear our prayer.
Hear our prayer..

1. God of the ages,
   we look to you
   to guide all leaders
   to seek your truth.

2. God of the suff'ring,
   hear us, we pray.
   Comfort your people,
   hold us to you.

3. God of the searching,
   hear us, we pray.
   Guide us in safety
   and lead us home.

4. God of the broken,
   hear us, we pray.
   Nourish our hungers
   and heal our hearts.

Open Our Ears

Open our ears to your word, Lord.
Open our minds to understand.
Open our hearts to the love of your truth
and to live out your word as best we can.

Malo! Malo! Thanks Be to God

Refrain

(Cantor intones each phrase. All repeat.)

Malo! Malo!	*[Tongan, mah-loh mah-loh]*
Thanks be to God!	
Obrigado! Alleluia!	*[Portuguese, o-bree-ga-doh]*
¡Gracias!	*[Spanish, grah-see-ahs]*
Kam sa ham ni da!	*[Korean, kahm sah hahm nee dah]*
Malo! Malo! Thanks be to God!	

Verses: Cantor; All Repeat

1. | | |
   |---|---|
   | Si Yu'us maa'se! | *[Chamoru, see joos mah-ah-sih]* |
   | Terima kasih! | *[Indonesian, three-mah kah-seeh]* |
   | Maraming salamat! | *[Tagalog, mah-rah-meeng sah-lah-maht]* |
   | Danke schön! | *[German, dahn-kuh shuhn]* |
   | Dziękuję! | *[Polish, jehn-koo-yeh]* |
   | We thank you, Lord! | |

2. | | |
   |---|---|
   | Mèsi bokou! | *[Creole, meh-see boh-koo]* |
   | Xie xie! | *[Mandarin, shee-eh shee-eh]* |
   | Arigatō! | *[Japanese, ah-ree-gah-toh]* |
   | Grazie! | *[Italian, grah-tsee-eh]* |
   | Cám ỏn! | *[Vietnamese, gahm urn]* |
   | We thank you, Lord! | |

We Remember

Refrain

We remember how you loved us, to your death,
and still we celebrate, for you are with us here;
and we believe that we will see you when you come
in your glory, Lord.
We remember, we celebrate, we believe.

1. Here, a million wounded souls
   are yearning just to touch you and be healed.
   Gather all your people,
   and hold them to your heart.

3. Christ, the Father's great "Amen"
   to all the hopes and dreams of ev'ry heart,
   Peace beyond all telling,
   and freedom from all fear.

4. See the face of Christ revealed
   in ev'ry person standing by your side,
   Gift to one another,
   and temples of your love.

Go Make A Difference

Refrain

Go make a diff'rence.
We can make a diff'rence.
Go make a diff'rence in the world.
Go make a diff'rence.
We can make a diff'rence.
Go make a diff'rence in the world.

1. We are the salt of the earth,
   called to let the people see
   the love of God in you and me.
   We are the light of the world,
   not to be hidden but be seen.
   Go make a diff'rence in the world.

2. We are the hands of Christ
   reaching out to those in need,
   the face of God for all to see.
   We are the spirit of hope;
   we are the voice of peace.
   Go make a diff'rence in the world.

3. So let your love shine on,
   let it shine for all to see.
   Go make a diff'rence in the world.
   And the spirit of Christ
   will be with us as we go.
   Go make a diff'rence in the world.

Pan de Vida

Refrain

Pan de Vida, cuerpo del Señor,
cup of blessing, blood of Christ the Lord.
At this table the last shall be first,
poder es servir,
porque Dios es amor.

1. We are the dwelling of God,
   fragile and wounded and weak.
   We are the body of Christ,
   called to be the compassion of God.

2. *Ustedes me llaman "Señor,"*
   me inclino a lavarles los pies:
   Hagan lo mismo, humildes,
   sirviéndose unos a otros.

3. There is no Jew or Greek,
   there is no slave or free;
   there is no woman or man;
   only heirs of the promise of God.

Amén. El Cuerpo de Cristo

Refrain

Amén. El Cuerpo de Cristo.
Amén. La Sangre del Señor.
Eating your body, drinking your blood,
we become what we receive.
Amén. Amén.

1. Amén. We remember your dying
   and your rising.
   Amén. Y contigo, Señor, resucitamos.
   Amén.

2. Amén. Now we offer the sacrifice
   you gave us.
   Amén. Te ofrecemos, Señor,
   todo lo que somos. Amén.

3. Amén. Lord, you make us one body
   and one spirit.
   Amén. En tu cuerpo, Señor,
   un pueblo santo. Amén.

4. Amén. We find you when we serve
   the poor and lowly.
   Amén. A ti mismo servimos
   en los pobres. Amén.

5. Amén. We look forward to your
   return in glory.
   Amén. Esperamos el día de tu venida.
   Amén.

I Send You Out

Refrain

I send you out on a mission of love.
I send you out on a mission of love.
I send you out on a mission of love,
and know that I am with you always
until the end of the world.

1. I baptize you in the name of the Father.
   I baptize you in the name of the Son.
   I baptize you with the Holy Spirit.
   Go out and spread Good News!

2. Well, it's time for us
   to become people with spirit.
   It's time for us
   to become people of love.
   It's time for us
   to know that Jesus Christ is risen
   forgives our sins, and brings us new life!

Let the Children Come

Refrain

Let the children come to me,
let the children come,
Let the children come to me,
let the children come,

1. What you've hidden from the wise,
   Let the children come.
   You made clear to children's eyes.
   Let the children come.

6. Those who would be first and best,
   Let the children come.
   Must with gladness serve the rest.
   Let the children come.

7. When you welcome one of these,
   Let the children come.
   Be assured, you welcome me.
   Let the children come.

Gathered As One

Refrain

Gathered as one in Jesus your Son,
lifting our voices in praise,
we know and believe and long to receive
the bread that is strength for our days,
gathered as one!

1. Many faces, the young and the old,
   gathered as one in our God!
   Throughout hist'ry the story's retold,
   gathered as one in our God!
   Like those come before us,
   we listen and learn.
   We remember the promise
   and await your return.
   So without hesitation a new generation
   proclaims the salvation of God!

3. Many voices, raised up in song,
   gathered as one in our God!
   In one fam'ly where all can belong,
   gathered as one in our God!
   Like those come before us,
   we listen and learn.
   We remember the promise
   and await your return.
   So without hesitation a new generation
   proclaims the salvation of God!

Come to the Table

Refrain
Come to the table of life everlasting, take this bread and be God's presence.
Come to the table of hope for all people, take this cup and live in the love of God.

1. Ev'ry hunger fed, ev'ry thirst is quenched
   in this bread of new life,
   wine of our peace:
   Jesus Christ our Lord!

2. When we eat this bread,
   when we drink this cup,
   we share in your death,
   we share in your life,
   until you come in glory.

3. Food from heav'n above,
   living sign of love,
   come fill our hearts, come fill our minds
   with faith, hope and love.

Pescador de Hombres

1. *Tú has venido a la orilla,*
   no has buscado ni a sabios, ni a ricos,
   tan sólo quieres que yo te siga.

Estribillo
Señor me has mirado a los ojos,
sonriendo has dicho mi nombre,
en la arena he dejado mi barca,
junto a ti buscaré otro mar.

Refrain
O Lord, with your eyes set upon me,
gently smiling, you have spoken my name;
all I longed for I have found by the water,
at your side, I will seek other shores.

1. Lord, you have come to the seashore,
   neither searching for the rich nor the wise,
   desiring only that I should follow.

Agua De Vida

Refrain
Water of life, holy reminder;
touching, renewing the body of Christ.
Agua de vida, santo recuerdo;
une y renueva al cuerpo de Cristo.

4. *Vengan, reciban el agua de paz,*
   revivan su santo bautismo.
   Dejen atrás los rencores de ayer
   y vivan la nueva alianza.

1. All generations, come forth and receive
   the blessing of this holy water;
   making us one with the God who forgives,
   the one who is faithful and just.

2. Bringing new hope to the children of God,
   regardless of color or story;
   cleansing our spirits with kindness and truth,
   and keeping the promise alive.

GIA Publications, Inc.
7404 South Mason Avenue
Chicago, IL 60638
(800) 442-1358
(708) 496-3800
www.giamusic.com

OCP Publications
5536 NE Hassalo
Portland, OR 97213
(800) 548-8749
www.ocp.org

World Library Publications
A division of J.S. Paluch Co., Inc.
3708 River Rd. Suite 400
Franklin Park, IL 60131-2158
(800) 566-6150
www.wlpmusic.com
wlpcs@jspaluch.com